冷场

李诞

作品

四川文艺出版社

序

写小说成了件需要解释的事。

很多个局面上很多杯酒对面很多人问，你怎么又要出书。

我也有些应对的答案：

"没事写写，没想怎么样。"

"就是过去一两年，一些东西。"

"我写就为了自己过瘾关你什么事。"

我生性懦弱，谈到写作，从来都说，早放弃早快乐，我写不成我认可的水平，就轻松写写，看看有没有人喜欢。我开心就好，你们随意。有人喜欢更好。

不输的办法只有一个，就是不上场。

不敢跟任何人比，不敢把它放到任何尺度上，好像出书是发生在平行宇宙的事，出了假装没出，它是它，我是我。

只是它里面有很多我。

又是这么一本，懦弱的人，写的懦弱的书，希望你看过就当没看一样，你的人生有更重要的事。

目录

情人们

木板与木板之间难免有缝隙

就这样不是挺好吗？真留了电话，以后呢，你想想以后。

男：

问她想吃什么，从来不说，最后还是订了这家日料，小隔间，安静，适合说话。

坐下以后也没怎么说话。

在一起四年了，没结婚，父母也不催了，都觉得是早晚的事。

我也觉得。

我没法想还能跟谁在一块儿坐在这么个隔间里，保持沉默。

我："鹅肝吃不？"

她："不了，胖。"

我："那我点一个。"

她："帮我要个抹茶冰淇淋。"

我知道，她不说我也会点，可又不想那么体贴，我不知道我什么毛病。

她自己说了，我又不是很高兴。

四年了。

她从来不依赖我，不会拿什么事儿求我。

我喜欢她这股劲儿。

有时候也不喜欢。

现在她没看我，也没玩手机，在盯着两块木板墙之间的缝隙看。

她在日常生活中常常这样抽离出去。

我喜欢她这股劲儿。

女：

我知道我不说他也会点抹茶冰淇淋，我就是得说，我也不知道我什么毛病。

第一次见面，我们隔过人群对视。

等人群散了，他跟我说："我觉得你浮在上面。"

就让这么句话，拴了四年。

这家日料我们来过，都是隔间，用木板墙隔开。木板与木板之间难免有缝隙，现在我就盯着一个缝隙看，能看到隔壁的人，离得非常近，一份三个海胆寿司吃了俩，刺身拼盘也吃差不多了。我斜对面只能看见手，是个女的，与我抵墙挨着的是个男的，偶尔能看到侧脸，染了发，鬓角是红色的。

可能也是男女朋友，坐得跟我俩相反。

我把头扭回来。

我："我的抹茶冰淇淋……"

他："饭前上，我知道。"

他什么都知道。

男：

　　她特别爱吃日料，我也是。我们都爱吃海胆，刚认识那会儿怎么吃都嫌不够，听说有家自助，海胆任吃，刚坐下还收敛呢，点了二十份，上来八份，又点二十份，上来十份。最后就一百份一百份地点，老板看出了我们的决心就没再耍无用的花招。那次吃完我们一个月没吃海胆。

　　从那之后也再没吃过自助。从食欲开始，一切欲望都在下降。

　　刚在一起的时候我总笑她活得讲究，没赚多少钱就喜欢吃贵的。现在我们赚得多了一点，觉得她是对的，真等到赚得足够多，估计吃什么都不香了。

　　还有一个转变就是我开始爱喝清酒，醉得慢。

　　我："你要酒吗？"

　　她有时喝酒，有时不喝，没什么规律。

　　她："嗯。"

　　她又去看墙上的缝。

比玩手机强一点吧，至少我们还在研究同一个空间里的东西。

女：

他爱喝酒，刚认识的时候，我跟他喝醉过几次，他以为我也爱喝，其实只是为了陪他。现在喝得少了。

或许我以前真的爱喝酒？

一切欲望都在下降。

我看见了隔壁男人的喉结，咽酒的时候一动一动。

他："你要酒吗？"

我："嗯。"

喉结挺好看的，喉结动让喝酒更有仪式感。女人咽酒的仪式感是咽下去之后保持安静。

我拿起来喝了一口，冰淇淋上来了，我又不太想吃了。

很多东西都是习惯，冰淇淋饭前先上，来这家日料，吃海胆，和他在一起。

人生快乐小指南：不要去推敲习惯。

我吃了一口冰淇淋再看过去，木板隔音不错，听不清隔壁人说什么，只看到他一点一点前倾，从鼻尖开始侧脸次第展开，眼睛往我这边扫了一下，带着笑意。

男：

我们以前在这家店玩儿过一个没话找话的游戏。

她帮我倒酒的时候我学台湾人说话问了一句："小姐做这行多久啦？"

她很自然地接过去，就玩儿了起来。

我是李先生，她是包小姐，我来自台南，到大陆做生意。她来自四川某个乡下，到这里陪酒。

在这个无聊的故事中，我们的角色渐渐丰满起来。我喜欢她是因为她长得像我的初恋，她出来陪酒是因为弟弟要上大学。我的初恋溺水而死，包小姐从不出台，今天行不行，要看你我的缘分……

那天晚上我们各回各家，包小姐真的没有出台。

那天挺开心的。

女：

隔壁人手放在桌子上敲，跟着店里的音乐。就是四个指头轮流抬起又放下的敲法，他的手很好看，也可能是观察角度的问题。

这个缝不足以看清他的全脸，每个部位分开看还不错。

偶尔听到一两句，隔壁人似乎在逗对面的女孩笑。

以前他也挺爱逗我的，我们玩过一个李先生和包小姐的游戏。现在想想真是无聊。

男的是不是都觉得自己挺有意思的。

隔壁人的表也不错，品位好，可能是对面那个女孩帮忙打理的。

他的眼睛又朝我这边扫了一下，我觉得他可能是发现我了。

一个人，发现墙上一只眼睛盯着他，应该挺害怕的吧，他会不会偷偷问服务员隔壁是什么人。

真想串通服务员告诉他隔壁没人。

想到这里，我笑了一下。

他："笑什么呢。"

我："没什么，隔壁几个男的喝多了，摸女孩大腿呢，你要不要看。"

他："哦，不看，我又摸不着，你好好吃饭。"

我："嗯。"

他这个人就这样，对正常人会好奇的东西从来不好奇，我挺喜欢他这样。

所以编了这样的画面。

按说他是个好色的人，我从来不看他手机也知道里面肯定不干不净，懒得看。

我知道他常常会把坐在身边的女孩带到酒店去，但从来不会在饭桌上摸人家的腿。

我挺喜欢他这样。

男：

不分手，可能也是不知道分开了又能怎么样。过不回以前那样了，出去吃饭，带身边的女孩回家？一切欲望都在下降。

我："好吃吗。"

她："好吃。"

问的就是废话。

我："你那个睡别人女朋友被抓的同事后来怎么样了。"

她："没事人一样，人家闹到公司来打他，同事们帮着拦，又叫警察又调解的，反正现在正常上班，看见谁还是一样点头致意。"

我："哦，啥人啥命。"

又没话说了。

基于足够了解，话题越来越少。

女：

聊了两句没话了，我又回去看。吓了一跳，我看见一只眼睛在缝隙那边。

赶紧退开，心里又觉得好笑，刚还想吓人家。我看到缝隙里在发光，凑近一点，我看见隔壁人把手机屏幕贴在那面，一点一点挪动以便我看到上面那行字：

"你在看什么？"

我也说不清我在看什么。

我只是处于一段四年的关系里，担忧是否真的会就这样下去，就永远在一起，什么也不能把我们分开，直到天长地久。

我只是没话聊，又习惯了不聊。

我们能说就像还不熟的人会说的话，好吃吗，饿吗，喝酒吗，你被捉奸的同事还好吗。

我们那么熟悉，语言的主要功能已经不是表达，是发出声响，频率，以证明一段关系依然存在。证明我们还能共振。

他："我上个厕所去。"

我："嗯。"

我拿起手机，打了一行字，按照对面刚刚的速度贴着木板墙一点一点挪动："看你的喉结。"

男：

不都这样吗？

我们的父母、朋友，幸福的婚姻谁都可以举出一两例——在某个时刻内。

在某个时刻我们就是想结婚，想生个孩子，想买房，想怎么在公司里上去一点，多赚一点，未来好过一点。

在某个时刻，我在海边跪下来，对她说："你知道吗，虽然听起来难以置信，可这个世界上只有一片大海。世界并不能让大海分开，也不能让我们分开。"

在某个时刻，在很多时刻，我们也会说永远在一起，什么也不能把我们分开，直到天长地久。

是真的这么想——在某个时刻。

在某个时刻，我可以为她去死，我相信她也一样。

生活中并没有需要谁为了谁死的时刻。

生活就是生活，生活不是时刻，生活是永恒。

女：

"见笑了，今天忘了护理。"

隔壁人打回一行字，果然喜欢逗女孩开心。

我笑了一下，我不知道算不算是开心。

我也不确定这样对话的结局是什么。

我正在想怎么回，那面轻轻叩了叩墙，我看过去。

"想看看你，厕所见。"

男：

店不大，厕所也小，我看见一个男的喝醉了，头顶
在墙上，裤链没拉，他的朋友在后面拍他的背，喝得并
不比他少。

我听见抵在墙上发出的声音，"你说我对她，是不是一往情深。"

　　我尿完尿出门，撞到一个红色头发的人进来，看着也喝了不少，冲我点头。

　　我也冲他点头。

　　我想，厕所里这些人，显然都正是处在某个时刻。

　　女：

　　他回来了，看起来挺高兴。他就这样，喝了酒，出去走走，看看这个看看那个，脑子里冒出很多想法，说不出来，就自己笑。

　　笑得得意又无奈，好像把什么东西看穿了的样子。

　　不知道是因为酒精，还是因为我不喜欢看他这副样子，我情绪起伏。

　　我："我去个厕所。"

男：

抹茶冰淇淋已经化了，她又没吃，老是不吃。我端起来喝了两口，很解酒。

很想找到刚才那个吐的大哥告诉他，喝一杯化了的抹茶冰淇淋吧，不要再一往情深。

女：

店小，厕所也小，男女卫生间出来是一个共用的洗手池，隔壁人在那里站着，我认出他的红色鬓角，他还在判断我是不是木板墙那边的人。

我没说话，走过去，亲了他的嘴，酒气很大，估计我也一样。

他应该不需要再判断了，一晚上不会有那么多意外之喜，他抱住我，力道和姿势都像是要演给谁看。

嘴和嘴分开，我慢慢滑下来亲了他的喉结。我抬头看向他的脸，没来得及评价美丑先看见了他的表情，得意又听从安排的样子，心里显然有把握，今晚命运的安排会不错。

我："我去上厕所。"

他："留个电话呀。"

我确实有点喝多了，走路不是很稳。

我："别拽我，我要去上厕所。"

他又拽了一把，动态代表他心里的话："装什么呀，刚还不是你先亲的我。"

我回头看他："别拽了，我喝醉了，你也是。就这样不是挺好吗？真留了电话，以后呢，你想想以后。"

我看见他的表情慢慢退潮，意识到了命运果然就像他想的一样复杂。

男：

她回来没坐下，看我。

我："走吧，结好账了。"

这是我们的默契，临走前我先上厕所，她再上，回来的时候账已经结好，发票也开了。

好像是从最开始约会就这样了。

她穿好了衣服，我们在门口穿鞋。

我看见隔壁的人也出来穿鞋，就是刚才那个红头发的男的，又冲我点头笑了一下。

我凑到她耳边："就是他呀？摸女孩儿大腿？"

她系鞋带，没抬头："没有，我刚瞎说呢。"

我："嗯，现在回去路上应该还有卖花的。"

她："嗯。"

女：

买把芍药好了。

没有就算了。

我拎的到底是什么

再错的事情人都能为自己找到借口，我们靠此苟活。

1

今天不是被狗舔醒的。丁戈醒来想了很多事，才想起这个。想起这个，丁戈就不想多想了。自从这狗长到能蹦上床那天开始，丁戈不是被狗舔醒，就是被先起的严相榨果汁、扫地的声音吵醒。严相已经搬出去半个月了，狗也没来舔自己，加上宿醉，今天醒来已经十一点了。

丁戈不喜欢被舔醒，也不喜欢养狗，是严相非要养，人搬走又不带狗，丁戈又叹了一口气。

出了卧室，丁戈就看到了狗的尸体。

旁边有呕吐物，有撞翻的垃圾桶，茶几上是空酒瓶，地上是一个狗咬过的袋子，里面本来还有不少黑巧克力，现在没了。

因为养狗，在严相的监督下，家里从来不买巧克力，好在丁戈也没那么爱吃，这事不是他们复杂矛盾的一部分。巧克力是昨晚公司聚会，一个新来的女孩送的。女孩刚刚大学毕业，礼物充满学生气又意义不明，送我巧克力是要干什么？丁戈收的时候想。

又想，收个礼物，就开始想人家是要干什么，真是老了，朽了。

现在狗死了，昨天喝酒到后半程，那女孩坐在丁戈旁边还一直打听："丁总，看你朋友圈你好像养狗呀，叫什么呀？"

丁戈已经喝了不少酒，脑子里一直在想跟严相这样下去有什么结局，听到她问，只回了一句："别丁总，叫丁戈就行。"

女孩猛地一笑，就是饭局上，听到了别人精心抖出的笑话，一定要笑一下的那种猛地一笑。旁边人和丁戈费解地看向她，女孩继续笑以示自己听懂了丁戈的双关："是丁哥啊，还是丁总本名啊，要不叫戈哥吧，哈哈哈。"

丁戈和旁边人很不猛地笑了笑。看来她送巧克力真的没要干什么，只是不懂社交。不懂的东西，又何必要去努力。

2

丁戈不知道该怎么告诉严相这个消息。

半个月没说过话了，除去吵架，这个时间还要更久。住一起时，有好几天都是醒来各自出门，回家各自睡觉。吵架能解决什么问题，吵架不解决什么问题，吵架的结局就是严相说我搬出去住一段时间。

没说分手，也没说去哪儿，丁戈也没问。两个人在一起太久了，谁都不太接受没有什么大事发生，就这样分手。在一起太久，也已经发生不了什么大事。

这么长的沉默后，第一条消息就是狗死了，结局会是什么样。

严相应该会立刻回来，大哭，先骂丁戈不爱这狗，从一开始就不爱，然后问黑巧克力是哪儿来的，家里为什么会有这种东西，最后再怀疑他是不是故意的，跟那个女孩是什么关系，怀疑可以走得多远。

结局就是这件事足够成为大事，成为结局。

这样分手，丁戈又觉得不明不白，觉得自己受了委屈。要不是丁戈总觉得不明不白，觉得自己受了委屈，估计两人早就分了。

抱怨总被榨汁机吵醒就会挨说一句，还不是为了给你喝？你早点起不好吗？养狗也说是为了让丁戈活得像人一样，早晚各遛一次，健康生活，接触空气。丁戈出去喝酒回来，狗一定在卫生间等他："狗我遛了，脚还没洗。"丁戈就去卫生间，洗那条不知道等了多久的狗。严相遛了狗，丁戈就必须给狗洗脚，严相榨了果汁，丁戈就得洗果汁机，严相把衣服放进了洗衣机，丁戈就得去晾衣服。

没有一件要求是不应该的，就是因为挑不出错来，又总是不愿承担，丁戈就只能心里委屈，委屈着委屈着，又觉得是不是自己太过份了，做这么点事都要委屈。

除了可计算的事，不可计算的语言、眼神、拥抱、性，丁戈也觉得严相算得一清二楚，丁戈要时刻给出反馈，回报。严相算得越清楚，丁戈越觉得不明不白，越不明不白，越觉得是不是其实是自己在计算。

这狗怎么办？丁戈知道宠物医院有火葬业务，但丁戈不想被医生问狗是怎么死的，周围再有几个养狗的，那些眼神丁戈受不了，也不想为此撒谎。

就出去丢掉吧，等过段时间严相回来，或者决定不再回来，丁戈就告诉她狗跑丢了。

无论如何要过段时间，丁戈不想她此刻回来，站在狗的尸体前面哭。这件事情蕴含的所有戏剧性，不能让严相在一个时间全部发掘出来。

丁戈找到了狗粮袋子，很大，是哪个网站打折严相买的，两个人都觉得这能吃一年，结果没几个月就快吃完了。里面还有一点点狗粮，丁戈把狗抱起来，放到袋子里，用透明胶封了袋口。狗十分僵硬，放进去的时候丁戈尽量轻柔，不看狗的眼睛。

再错的事情人都能为自己找到借口，我们靠此苟活。丁戈能想到无数借口："我不是故意的。""昨晚喝醉了，本来回家就已经醉了，进门喊了两声严相，却只有狗来迎接，就又开了瓶酒，喝到人事不省。""实在是心情太差，忘了口袋里还有黑巧克力。""好好的毕业生，不想着怎么好好工作，送什么巧克力。""说到底还是怪严相，如果她不是这样离开，我怎么会喝这么多酒，如果她不是这样离开，我怎么会带巧克力回来。"

想再多借口，也没敢看狗的眼睛。

丁戈拎起狗粮袋，出了门。宿醉还是没醒，头疼。

3

下了电梯，出了小区，丁戈感到头更疼了。

春天了，阳光不错，有风，丁戈想不起小区附近哪里有大的垃圾桶。丁戈也不敢扔在小区附近，这附近常常遛狗的，街边开店的，应该都认识丁戈和这条狗，早晚各遛一次，健康生活，接触空气，以及他们。

丁戈在路边打不到车，打到车也不知道该去哪丢掉一具尸体。丁戈有点后悔选了狗粮袋，封口和袋子都不是很结实，丁戈害怕走着走着狗掉出来，越这么想，感觉手里的袋子越沉。狗在垃圾桶里被人看到，肯定会被拍下来发到网上吧，好事的明星再转转，奉上同情，激起愤怒，身边的同事难免要开始讨论："谁这么缺德，多可爱的柴犬，就扔垃圾桶了？哎？丁戈你家养的也是柴犬吧？"

丁戈体会到了一些罪犯的艰难。互相监视之下，人人都有机会成为罪犯。

得去远点的地方，人少的地方，丁戈这么想着，上了地铁，打算坐到足够远。

丁戈有时想，严相也许没有她表现得那么喜欢这条狗。搬出去都没带走。关在卫生间，等我回去洗，不管叫得多响。

丁戈小时候奶奶家里养过狗，丁戈跟它关系很好，是那种看家护院的狗，一学期不见，丁戈一下车狗也是一头扑上来，蹭来蹭去。

奶奶家在牧区，门前不远有条小路，只要小路上有生人或者过车，这狗都会叫。有回过车，狗冲车喊，车里人掏出枪，把狗打死了。

家人分析那车是刚打猎回来，正意气风发，狼都杀了，还在乎条狗吗？车没有牌照，丁戈他爸和叔叔们骑着摩托拎着枪沿路打听，到底还是没报了仇。

晚上大人们回来，把狗拉去山里埋了，丁戈哭了很久。

丁戈不是不喜欢狗，实在是狗总会比人先死，丁戈受不了。

地铁里已经开放了冷气，不是高峰，没多少人，丁戈坐下，把袋子塞到座位下面，抬头看站点，打算挑一个听起来最冷僻的下车。

丁戈在这个城市生活很多年了，估计有七成的地方从来没去过。丁戈记得自己跟严相讨论过这个问题，丁戈说："所以，人类物质生活本质上还是十分渺小。"严相说："渺小吗，城市这么大，还不是人类建设起来的。"

刚在一起的时候严相总喜欢带丁戈出去，"别总在家待着，多没意思。"

过了段时间，外面也就没意思了，值得玩的地方永远不多。这其实也是丁戈的一个论据，丁戈没说。

然后严相就带丁戈去旅游，认识严相之前丁戈不喜欢旅游。认识严相之前，丁戈也不吃早餐，不看演唱会，不逛街，不去游乐场，不请朋友来家里，不会给任何人发生日祝福，不在洗澡的时候听音乐，不在家里挂画，不在还没醉的时候停止饮酒，不养狗。

严相重建了一切，重建方式如此正确，丁戈没有立场反驳。

丁戈为了这些谢过严相多次，丁戈说："我真的不想活成以前那样，现在真挺好的，我愿意热爱生活。"

严相拉拉丁戈的手，用看狗的眼神看着丁戈："生活就是值得热爱的。"

4

人上车下车，丁戈很久没坐过地铁了。离市中心越远人越少，在丁戈之前上车的人，应该都下去了。

不然就把袋子留在座位下面好了，很不起眼，一个狗粮袋，看着就像垃圾。可能会吓到打扫车厢的人，但不会有更多麻烦，他只会骂骂晦气，就丢到垃圾桶里。丁戈相信，清扫的工人只会这样完成他的工作，没人听他抱怨，他也不会有闲心拍下来发到网上，比这更过分的垃圾，恐怕他也见过。

前面一站是动物园，去动物园走走好了。

跟严相在一起之前，丁戈也不喜欢逛动物园。不是讨厌动物，是讨厌人。人最讨人厌的地方，首先是多，其次是吵，最后是傻，动物园里的人占全了。动物园这个东西本身也很傻，比屠宰场更残忍，残忍来自其中的伪善。

这是以前的想法了，跟严相去过几次动物园，丁戈觉得挺好玩的，想，在这里被人看，还是比出去被人杀掉好。从动物的角度说，也可以理解成，动物园是在每天换不同的人给它们看，人道得很。

严相每次去动物园都要跟动物合影，同样的长颈鹿，同样的严相，丁戈看不出有什么不一样，有什么再照的必要。严相追求的从来也不是不一样和必要。丁戈爱着严相身上这股生命力，每次快要被这股生命力感染时，又退缩。

丁戈记得有一回音乐节，在海边，音乐响到天上去，天上一个大月亮，丁戈和严相跳累了，背对人群坐下。海浪声压过一切音乐，最抢眼的灯光还是天上的月亮。严相说了一句："原来人类生活真的是十分渺小啊。"

那次丁戈在这句话和严相的眼神中切实感受到了爱，并且没要求任何回报。

动物园到了，丁戈起身下车，动作很快，没有回头看座位下的袋子。

5

丁戈上电梯，听到后面有人在喊："喂，喂，你东西掉了。"

一个年轻的女孩拎着袋子追上电梯，她穿了吊带裙，尽管天气开始热了，还是为时尚早。狗对她来说有点重，拎着袋子的右侧身体往下坠，这边的吊带滑了下来，赶忙用左手抹上去。这就是丁戈在电梯上回头看到的画面。

女孩："你也去动物园啊？"

丁戈已经接过了袋子，道了谢。

丁戈："嗯。"

女孩笑起来："去动物园带狗粮喂谁啊？"

丁戈："这里面不是狗粮。"

丁戈语气平缓严肃，没看女孩，女孩没有问下去。

丁戈想，这姑娘比昨晚上那个要懂社交。

丁戈说："谢谢你帮我捡回来，我帮你买票吧。"

女孩："我早在网上买好了。"

丁戈："那我请你吃东西，非常非常感谢你，这东西对我很重要。"

两人进了动物园，这个女孩年纪也不大，说是本来约了两个朋友，结果都有事耽搁，要晚点才能到。

女孩："爱来不来，我才不等他们。"

丁戈也觉得，她对动物的兴趣比对人要大，一路上没怎么搭理丁戈，只在需要拍照时把手机递过来。

两人走过了爬行馆，看了狮虎山，大熊猫，丁戈帮她拍了不少照片，心里觉得还上了人情，最后在鸟类区找了个长椅坐下来。

丁戈又去买了甜筒。

女孩："谢谢啊，你叫什么啊。"

丁戈："我叫丁戈，枕戈待旦那个戈。"

女孩："你怎么自己逛动物园。"

丁戈："也是约了朋友，没来。"

女孩："你拎的到底是什么啊？"

女孩觉得自己吃了丁戈的甜筒，又有同样被朋友抛弃的命运，社交关系进了一步，可以聊这样的话题了。

我拎的到底是什么？

女孩："不想说可以不说啊。"

想说又该怎么说呢？

丁戈:"是死狗,误食了黑巧克力,死了,我女朋友养的,现在她可能也不是我女朋友了。我很爱她,可我们估计还是得分手。我也爱这条狗,可我不想送去火化,不想被人问它是怎么死的,我不想让别人觉得我不爱这条狗。我不知道该把它扔在哪里,我怕人拍到发在网上被我身边的人知道。我刚刚想把它丢在地铁里,被你捡到送回来了。"

丁戈不知道这么说,有没有说清楚自己到底拎的是什么。

女孩看看丁戈,看看放在地上的袋子,后面该做什么反应,显然她也不知道了。

丁戈:"对不起,吓到你了。"

女孩:"没事,我觉得,你,哎呀,好麻烦啊,这事。"

丁戈:"嗯。"

女孩:"我不会说出去的。"

丁戈:"谢谢你。"

女孩和丁戈开始沉默,女孩掏出手机按了两下,说:"我朋友进来了,我去找他们。"

丁戈:"好。"

女孩:"很高兴认识你。"

女孩拿起自己的包,又补了一句:"你别太难过。"

丁戈看着她走出鸟类区,想到她见到朋友,第一件事肯定就是说自己刚刚遇到了这样的怪事。

丁戈把袋子提到椅子上,手放上去,感觉狗的尸体软了一些,应该是幻觉。

这条狗叫派对,那次从海边回来,严相就说要养条狗,想好了,就起这个名字。

丁戈摸着袋子,觉得理应为它哭一会儿。流不出眼泪。

丁戈看到眼前笼子里有红色和蓝色的鸟,飞来飞去,在笼子里。

丁戈拿出手机,决定打给严相,约她在家里见面。

丁戈决定把派对拎回去。

你拎的到底是什么

我们不是结了婚悲观，是都有了悲观的认识才敢结婚。

1

严相接到丁戈的电话，说派对死了。

丁戈是严相的男朋友，派对是他俩养的狗。

严相接到电话的时候是下午四点，她离开两人合住的房子已经半个月了，两个人也有半个月没打过电话。她住在朋友王一新家里。

今天下午三点她和王一新才出门，昨晚她跟王一新有过一次长谈，内容涉及未来、人生、爱情。

现在是下午四点，严相正站在一家婚纱店里，王一新当初婚纱就是在这里买的。

昨晚两人争论过这个问题，王一新坚持认为租虽然也可以，但结婚这种事就不能"也可以"。

王一新："我跟你讲，凑合一次，就得凑合一辈子。"

严相决定跟丁戈结婚，不是离开家那天想好的。她跟丁戈好了六年了，一直没告诉丁戈，大概在第一年的时候她就想好了。

离开家那天只是决定把想法执行出来。

跟丁戈吵完架，严相搬出来，就开始准备婚礼。

这半个月她一直忙着订结婚场地，找策划公司。婚礼定在一个月以后，她打算再等两天，丁戈不联系她，她也要联系丁戈了。

六年了，吵了不知道多少架，比这次严重的有的是，也是这个给了严相决心。

都这样了，不结婚还能怎么办。

严相今天心情很好。她哪天心情都不错，哪怕是吵架的时候，哭就哇哇哭，哭完了，吃点好吃的，看个猫猫狗狗的视频，谁朋友圈里犯傻，又笑出来。

加上昨天跟王一新聊，都聊透了。

　　王一新正问老板哪个哪个款式的婚纱还有没有。婚纱店里音乐柔和，看着王一新的背影，严相感到幸福，感到自己偷偷筹备，给丁戈一个惊喜的做法是对的。严相了解丁戈，丁戈对人生没有规划，他很乐意接受严相的安排，并理解成那就是命运的安排。丁戈电话打来，严相没跟王一新商量就接了，她觉得气氛正好，也该通知他参加他自己的婚礼了。

　　丁戈："喂。"

　　严相："喂。"

　　丁戈："干吗呢。"

　　严相："没干吗，你呢。"

　　丁戈："我得告诉你一件事，你得回家来一趟。"

　　严相："我也有事要告诉你，你先说。"

　　丁戈："派对死了，吃了巧克力。"

　　王一新听到哭声转过身，看见严相坐在地上。

2

婚庆公司已经联系好了。

也是王一新介绍的，开婚庆公司的人本来是广告公司的策划，有很多自己的想法，并且总是试图说服别人他的想法是多么了不起。大家都叫他小白。

小白："严小姐，我们收费可能贵一点，但一新肯定也跟你说了，对不对，她婚礼你应该也参加了，是不是，你想想，值不值，那花海漂不漂亮，钱不花在婚礼上还能花在什么上？"

为了专属定制，小白花了两个小时了解严相与丁戈的恋爱经历。两人如何在朋友的饭局上认识，如何在一起，如何去海边，如何养了一条狗。

小白："你们的狗必须得出席，跟你们一起走红毯，它很有象征意义啊，你们爱情的结晶啊！"

严相当时听完，很为这个想法激动。

丁戈对人生从不反抗，不情不愿，该他做的会做好。从开始丁戈就说不想养狗，真养了，他也一直照顾得很好。

怎么会吃了巧克力？严相想可能就是自己离开家，丁戈又开始喝酒，才出的事。严相为派对的死感到自责，如果她没有离开，如果她早点告诉丁戈自己在筹备婚礼……严相想着想着又哭起来。

王一新的丈夫陈健开车送严相回去，路上严相一直翻手机里派对的照片和视频，看到特别好笑的会笑，笑一会儿，又哭。

王一新一直在旁边安慰："这么个场合，我不陪你上去了吧。"

严相："嗯。"

陈健："我们就不凑热闹了，也别太生气，跟丁戈好好说说。"

王一新："好好解决，婚纱我让老板留着呢。"

陈健："就是就是，小白那边今天还打电话了，说沙滩都订好了。"

小白当时承诺了："沙滩，音乐，全给你整来，你俩不就是那次在海边才决定要养狗的吗？原景重现，有没有。"

严相进了家门，丁戈站起来。

丁戈："回来了。"

严相："回来了。"

严相看到茶几上放的大狗粮袋，鼓鼓囊囊。严相又哭起来。

丁戈没话可说。

严相每次哭的时候丁戈都没话说。两人的关系里，总是严相在向前推动，严相崩溃的时候关系就停下来。

严相："你怎么会把巧克力带回家啊。"

丁戈："我错了。"

严相："你怎么不看好啊。"

丁戈："我喝多了。"

果然就是这样。

严相："是是，你喝多了。"

严相想再说两句，没力气说了。

家里还没有收拾，今天早上丁戈起来什么样还是什么样，桌上有酒瓶，地上有被派对撞翻的垃圾桶。今天丁戈拎着派对出去转了一大圈，想把尸体丢掉，终究没有成功，还是拎了回来，打电话给了严相。他们已经半个月没通话了，丁戈已经做好了分手的准备。

严相坐下，喝了一口桌上剩下的酒。

严相："你知道我这半个月干吗去了吗？"

丁戈："我不知道。"

严相："我去筹备婚礼了。"

丁戈一时不知道该说什么，按他的本能是要说一句"跟谁的啊"，再笑两声来缓解尴尬，他控制住了本能。

丁戈："我还以为你要跟我分手了。"

严相："你是不是巴不得我跟你分手。"

丁戈："我没有。"

严相："那我走这么多天你连个电话都没有？"

丁戈："我不知道该说啥。"

严相知道丁戈说的是实话，丁戈不知道该说什么的时候，要么讲无聊的笑话，要么就一言不发，等候处置。又因为丁戈讲笑话和一言不发几乎就是他交替的常态，严相常常觉得丁戈对自己、对世界从来就不知道该说什么。

丁戈："你真的筹备婚礼了？"

严相没说话，狠狠看了丁戈一眼。

丁戈："什么时候办啊？咱们是不是该通知家里一声啥的。"

严相："现在这样，还结吗？"

严相看着派对的尸体。

丁戈："结啊，冲冲喜。"

到底还是没控制住。

3

是王一新和陈健让她觉得婚不得不结。

那个话也是王一新说的："又不分手，在一起干吗？只能结婚了。哪怕结了再离呢，也比分手感觉像回事对吧。"

严相觉得很有道理，又觉得结了婚的人对爱情真是很悲观。

王一新解释："我们不是结了婚悲观，是都有了悲观的认识才敢结婚。"

昨晚两人的谈话陈健没加入，他在自己房间打游戏。

王一新："你看，你来了，陈健不知道多高兴。像平时不加班早回家的时候，真没那么多话可说，他想玩儿游戏吧又怕我不高兴，我其实真不在乎，他玩儿游戏我还能自己看会儿剧。可是也不能老这么说，于是就沙发上硬耗，说找个电影一起看，看着看着就各自玩儿手机了，你说悲观不悲观。"

严相："可是我看你俩挺好的啊。"

"这样也不是不好呀，"王一新压低了声音说，"我觉得陈健肯定有外遇。"

严相首先惊讶这一事实，其次惊讶王一新的态度，最后惊讶她的用词——外遇，过于中年。

严相："真的假的？"

王一新："我就是感觉，也不知道他们到哪一步了，也不知道有几个，其实无所谓。"

严相："无所谓？"

王一新："你呀，你不是也怀疑过丁戈有外遇吗？你其实能理解这是咋回事吧？"

严相："我觉得你是冤枉陈健了，人家就是爱玩儿个游戏，冷落你了呗。"

王一新："不知道，随便吧，打游戏，看剧，找外遇，有什么区别？没什么区别，都是找个办法浪费时间，我也不觉得哪个比哪个更不好，只要他还爱我就行。"

严相："我觉得他很爱你啊。"

王一新："是啊，我也爱他。"

4

严相不是怀疑丁戈有外遇，是真的抓到了。也不算抓到，她感觉丁戈也没瞒她。

两年前丁戈在微博上认识一个女孩儿，两个人谁也没关注谁，也从来没说过一句话，但严相能看出来两个人很多微博就是发给彼此看的。她还看出两人一起吃过一次饭，但那天晚上丁戈回家了，问他去干吗了，也说了是去跟朋友吃饭。

严相想，自己这样都能看出来，也没什么切实证据，那王一新说陈健有外遇，应该也是真的。

真悲观。

她现在面临的问题还不是要不要怀着悲观结婚，而是这婚还结不结，怎么结。

严相："婚礼定在一个月以后，策划里设计了派对从小到大的照片，请柬上也印了它。"

严相忍住难过，告诉丁戈目前他们面对的问题。

当时小白的策划是："这请柬就得与众不同，不是谁和谁夫妇，是派对严相丁戈，一家三口儿请您参加婚礼，好不好？大家看请柬都烦，一年收多少请柬？可是就你们这个他们能记住，对不对，这叫与众不同，这也是我们公司的特色，让人难忘的婚礼，不光是你俩难忘，亲友来宾也得难忘。"

严相一直都吃这一套，总想让生活变得值得记忆。丁戈则觉得生活没什么值得记的，真有的话，不用记也忘不了。

丁戈没怎么想，就说："借一条吧，柴犬，都长得一样。"

严相："跟谁借啊，让人知道了怎么办。"

丁戈："我来想办法。"

严相："那我们真的要结婚了吗？"

丁戈："你不是都筹办好了吗？"

又是这样，从来不给直接的答复，一个问句还回来，又是一副听安排的样子。

严相有时也怀疑自己其实就是喜欢丁戈这样，不负责任，听天由命。丁戈会说："喜欢就对了，我这叫潇洒，放弃人生者自有其魅力。"

丁戈这样说的时候，严相又一定会骂他恶心、不要脸。

说到底，他俩在一起就是这么回事。

5

　　婚礼那天，丁戈带来了从宠物店借的柴犬，确实一模一样。严相再怎么强调她能看出不同，也一阵阵恍惚。

　　来参加婚礼的朋友见了，都上来摸："哎呀，派对胖了呀，肥狗。"

　　丁戈的同事们也来了，有个小姑娘看到狗就冲上来："这就是丁总的狗呀？真可爱呀！"

　　就是她在那天公司聚会上送了黑巧克力，丁戈喝多了忘了丢，带回了家，没有放在高处，害死了派对。

　　丁戈想了想，没把这事告诉严相。

　　王一新跟陈健做了伴娘伴郎，婚礼细节处处都与两人经历有关，可能除了严相和丁戈，也就只有小白能知道全部出处。

　　想到丁戈可能也并不是全都知道，严相又差点哭，不是为了丁戈的不在意，而是她意识到自己是多么爱丁戈。严相觉得自己已经获得了王一新说的那种必要的悲观。

　　婚礼上丁戈一口酒都没喝，大家都说能理解，为了要孩子嘛。丁戈没争执。丁戈是那天去火化派对时答应了严相，以后再也不喝酒了。

　　婚礼结束，晚上还订了个酒店，几个朋友闹洞房。丁戈让大家先去，他开车把狗送回家，酒店不让带狗。

　　丁戈牵着狗一个人往停车场走去，开了后排车门，下意识喊："派对，上车。"

　　那条狗没理丁戈，低着头嗅轮胎。丁戈坐进后排，车门还是开着，两只脚踩在外面，看着狗，这回流下了眼泪。

　　严相走了过来，她跟朋友们说眼睛不舒服，到车里拿一下眼药水。朋友们也知道她是跟丁戈有话说，就没人陪她过来。

　　地下停车场里能听到丁戈擤鼻涕。

　　丁戈："严相，你说咱们这样，对么？"

　　严相忽然有种感觉，就是他们的婚姻一定会维持很久，只要她愿意。

　　严相说："对。"

故事主角总是一男一女

语言是这么不可靠，我们却由着语言决定一切。

女主角：

陌生号码我一般不接，熟人来电话我都不怎么接。

我不喜欢接电话。

小事就发微信嘛，真有大事，你打第三遍我自然就接了。

那个电话就打了三遍，还是在夜里十二点。

我："喂？"

陌生电话那头是个男人的声音："瑞贝卡吗？"

我懵了："啥？"

男人："瑞贝卡，五百一夜，外企白领，是你吗？"

我大概明白了，人脑转速很快，他说完我就已经想了三种可能的情况，1.打错了；2.有哪个傻逼恶作剧把我的电话发到了色情论坛上，常上色情论坛的男人又都很蠢，就打来了电话。这不是我的偏见，是我发现色情论坛上常有很多低智的广告，广告主又不蠢，他们一直发这么烂的广告，肯定是因为有人会信；3.这是我的某个朋友玩儿了什么破游戏输了，在找人整我。

我："我不是，这号码你哪来的？"

男人："是你男朋友塞到锦江宾馆的门缝里，男主角看到后打给你，没有打通，我就再想打一下试试。"

我："啥？你打错了。"

男人："我也没想到能打通，瑞贝卡，电影结束的时候，你并非因为自己的错，只是因为语言不受自己控制，就死了，我不想让你死。"

我："不是，你到底在哪看见这个号码的？"

男人："电影里，《成都神仙树》。我以前常去的那个录像厅今天倒闭，我去把他们的碟都买了，有这个电影，网上查不到，没有演职人员信息，我就看见你这号码了，我就想试试能不能打通。可能你不是瑞贝卡，可能号码是导演瞎填的，反正我就是不想让你死。"

我猜的三种情况都错了。

以后陌生电话不打到第四遍，我不会再接了。

男主角：

我就是因为无聊。

心情倒没有多不好。

我家在内蒙古，上班在北京，太累了，我跟老板说，我爸病重，请一周假回家一趟。

到家头天晚上跟我爸还有我三伯、老舅一起喝了顿酒，我爸说："不行就别干了，别一天天方（诅咒）我，万一哪天我真病了，死球了，你还在这个破单位，又想请假，你咋编？"

老舅说："二哥说啥呢。没事儿，涛儿，你爸死了，还有你三伯呢，你就说他病重。"

三伯，我爸，老舅，各自说着"操"，笑着端起酒杯，我也笑，一起喝了。三伯嘟囔一句："我这个肝子是得管一管。"

　　那天晚上到真喝多的时候，我爸说："不行真别干了，没啥，你看爸，你看我们哥儿仨，不也都在这地方待一辈子了。"

　　三伯老舅不说话，喝酒，眼睛早喝木了，看不出他们对于在这地方待了一辈子这件事，是什么心情。

　　可能就是喝醉的心情。

　　第二天下午起来，想起上学时常去的录像厅，就去了，正好在搬家。老板还认得出我，说，我这碟也没用了，喜欢哪个拿哪个吧，你咋这么大了还来录像厅。

　　我随便划拉了一堆，其中就有《成都神仙树》。看了，很难看。地下电影，不知所谓，非常假，现实都讲不好就开始脱离现实。男女主角是两条平行线，各讲各的，事儿有交集但心永远想不到一处，是那种身不由己的故事。有一幕还挺难忘，女主角男朋友逼她卖淫，印了写有她手机号的卡片，塞到了男主角所住酒店房间的门缝里，然后就去杀人了。有种赴死前以一种奇怪的方式把女人托付出去的感觉。

女主角叫瑞贝卡，电话号码写得清楚明白，给了两次特写，我怀疑导演就是诱导人打过去。

我关了DVD，拿起酒，回到我的卧室，拨了那个电话，归属地真是成都。

打了三次，一个女孩儿接了。

我不知道该说啥。

我说："瑞贝卡，五百一夜，外企白领，是你吗？"

也就是电影里的了，现实中捡到这种卡片我从没打过。她显然懵住了，可能在想是不是她的哪个朋友在恶作剧，是不是自己的电话被发到了色情论坛上。

我玩儿心起来，喝了口酒，嗓音低下去，有点疯疯癫癫，演了起来。

我："是你男朋友塞到锦江宾馆的门缝里，男主角看到后打给你，没有打通，我就想打一下试试。"

我假装自己是陷入一部烂电影的傻逼男青年，在一个平常的晚上决定对生活做点改变，打了这个电话，这电话对男青年来说代表一种结局，对她来说可能代表了一切的开始。她还是一头雾水。我接着说下去，说我不希望瑞贝卡死，说到这里，我估计她就要挂电话了，我也可以接着喝酒。

我没想到她会跟我说那句话。

她说："朋友啊，我也不希望瑞贝卡死，但你真打错了，我建议你找个心理医生看看。"

她的声音挺不耐烦，又有点温柔。

一个人，在夜里十二点很不耐烦地接一个电话，还愿意说下去，就是这件事让她显得有点温柔。

我不好意思了，不想再演了，觉得愧对温柔。

我："抱歉啊……"

她："没事没事。"

我："不好意思半夜打搅你，我有点喝醉了，我平时不这样，这电影……"

我本来想说，这电影其实挺烂的，其实我只是无聊，其实你可以挂电话了，其实我没有心理疾病或者说没有那么严重，其实我明天也不知道该干吗，其实我的假期还剩五天可我都不知道该干吗，其实五天以后我也不知道该干吗，其实我应该劝劝我爸他们都别再喝酒了。

她打断了我。

她："这电影听着挺有意思的，碟啊？能发给我看看吗？我叫严莎。"

我："我叫陈涛。"

我心情有些激动。

我不知道这是不是一切的开始。

女主角：

我弟也这样。

没出息，神经病，跟个女网友网恋，跑到西安去找人家，那姑娘倒也不是骗子，就是图好玩，没想到他还真能来，弄得很尴尬。好歹见了一面，吃饭女孩还坚持结账，这深深伤害了我弟。

我弟本来跟人交流就不顺利，现在话说重一点他就难受，就退缩，就给人道歉。

这男的，陈涛，果然也是。我说完让他看心理医生就有点后悔，话太重了。这人也没恶意，以我弟来看，这样的男的，比绝大多数男的，都更没恶意。

最后让他发我看看，说完，我更后悔了，他是心理有障碍，我也不该心软啊，给自己找麻烦。

好歹是只发了邮箱地址过去。

然后又加了微信。

还看到他在我好久前一张自拍下面点赞。

我彻底后悔了。

不过我不关心我男朋友怎么想，反正他也是个傻逼。现在已经几点了？还没回家。

我感觉我们迟早要分手。

是不是严格来说，谁和谁都迟早要分手。

男主角：

加了微信，聊了几天。

我知道她有男朋友，在她的语气中能听出她是个心软的人，还能听出她不太喜欢自己的男朋友。

原因可能是她男朋友不太喜欢她。

她说她是学舞蹈的，现在跟人合伙开个公司，弄些晚会、演出。最近刚帮农业银行弄完年会，说："我们以前还冒充他们员工替他们参加全国比赛拿过奖呢。"

头一天还挺谨慎、客气，到第二天她说："你知道吗，我本来还以为你是变态呢！"

"我是啊。"

"哈哈哈哈哈哈哈。"

跟她聊天发现了一件我已经发现很久的事，就是我不会跟陌生女孩儿好好聊天，从小培养的习惯就是开玩笑，现在长大了，走入社会了，总这么说话肯定会带来麻烦。

但感觉跟她不会，感觉她跟她男朋友迟早要分手。

我有时候想，不是因为酒精，也不是说性欲真那么旺盛，已经过了那个年纪了。

还总是想跟陌生人发生关系的原因可能就是想闯入一段别人的生活。

可能是眼前自己的生活太无聊了。

不然没法解释为什么别人都在练瑜伽，学剑道，夜跑，生酮饮食，利用下班时间开专车，我请了七天假跑回家里。

不创造价值，不吸收养分，不经营人脉，违背所有朋友圈人生指南的教诲。就这么在床上躺着，漫无目的。

我告诉她那个电影我传不过去。

其实我根本没查该怎么传，我还有两天假期，我说："我去成都找你吧，一起看看《成都神仙树》。"

女主角：

我去机场接他。我也不知道为什么要来接他，甚至该不该同意他来。再没挑明意思也很明显了，陌生男女，因为一个奇怪电影里的奇怪电话认识，然后真的见面，走向显然不是朝着一份纯洁的友谊。

我还开了我男朋友的车。

他出去喝酒、赌博，谁知道他干吗去了。在一起一年了，说是自己开了个卖车载音响的店，我也从来没见过他的店，就见他到处跑给别人装音响。

他一般出去都得隔天回来，都说是住朋友家，玩儿得太晚了，谁又出事了，进医院了。谁知道呢。

我上次来机场的时候见到一个女人坐在地上大哭，登机牌就放在腿边，我现在还在好奇她最后有没有登上飞机，是为了离开哭，还是为了离不开哭。

我看到他出来，背了个包，挺萧条的样子。

他上车时我们都有点尴尬，打了个招呼，开了两个玩笑，气氛始终没有好转。

我放了音乐，他说："效果很好啊。哦对，你男朋友就是做这个的。"

他又去摸储物箱，没打开。

我："我男朋友车里都上锁，后备厢也打不开，音响线路改来改去，线都在外面露着，怕人碰坏，好在你没箱子。"

他："真想看看啥样，要是你男朋友在就好了。"

我们笑起来，气氛终于好转了。

男主角：

我订了锦江宾馆，但是就一个背包，扔车里也行，不着急入住。

"先去吃东西呗，你们成都不是牛逼吗，这也好吃那也好吃的。"我说。

她："行啊，吃火锅？"

我："我看除了火锅也没别的。"

她就拉着我到了成都南门，经过一家店，她就要说："这个是二孃鸡爪，很好吃。"然后车就开过去。

"这个叫三哥田螺，这家店很屌的，每年过年能休息一个月。"

"这个，康二姐串串，每年带员工去马尔代夫旅游。这个串串我吃吐过，因为太好吃了，吃了太多。"

每次她介绍完一家店，我说那就吃这家啊，她都不理我继续开。最后还是去吃了火锅。

我："你们成都人这是什么礼节，介绍完了不让人吃。"

她："你不是明天还能待一天吗。"

我："那肯定吃不完啊。"

她："对啊，谁让你只待一天。"

我也有点后悔了，为什么只待一天。

不是因为那些吃的，是因为她这句话。

女主角：

那句话说完我就后悔了。

吃火锅的时候他很惊讶黄瓜可以切成长条形的薄片，跟我说这样涮果然很好吃。

我："成都好吃的多啦。"

他："好了好了，我知道了。"

他看着我笑，我继续后悔怎么还在说这种话，我也没多喜欢他啊，更没有一点想他留下来。这个见面都不应该发生，那电话就不应该接。

其实我是在气我男朋友吧，虽然我不可能告诉他。

还是我真的有点喜欢他？真的挺像我弟弟的。这个我从来没告诉他。

没想到这个忍住了，偏偏没忍住说那种撒娇的话，什么"谁让你只待一天"，太恶心了。

结果说了一句，就进入了那一句的气氛，再说什么都不对劲了。

语言是这么不可靠，我们却由着语言决定一切。

火锅吃到一半，进来两个卖烟的女孩。成都这样的女孩很多，看我们不买，就上楼了，然后就坐在楼上跟一群人划起拳来，烟也不卖了。

他："还可以这样啊？"

我："嗯，本来成都人心态就好，地震完就更好了。"

我们笑了一通。

他："不知道《成都神仙树》是地震前还是地震后拍的。"

我："我们什么时候看这个电影。"

他："今天就可以看啊。"

我："去哪看。"

他："你们成都有类似录像厅的地方吗？"

我："有是有，但懒得找。"

他："那去哪儿，锦江宾馆又没有DVD。"

我："装什么啊，快吃，吃完去我家。"

我觉得我的嘴已经不受自己的控制。

我一直在后悔。

男主角：

我已经在考虑怎么想办法多续两天假了，既然她话都说成了这样。

我挺喜欢她的，是有准备，可没想到她也能喜欢我，不知道她跟她男朋友分手到哪一步了。

现在问不太合适，再说真分了我在北京她在成都，也不像是一段稳定的关系。

其实不分也可以。我想要的就是一个短暂的假期，她可能也是。

碟放进去了。

她家挺漂亮的，问了问每平方米多少钱。问这个干什么，没话找话。

我们坐在地毯上，电影开始播放。

男主角从机场出来，经过一个坐在地上大哭的女人，登机牌放在腿边。

女主角开着男朋友的车上街闲逛，经过很多饭店，都不进去吃。

男主角一脸痛苦却又为此自视甚高，总觉得谁都应该体谅自己。

女主角总是平静却身不由己，每件事处理得别人看着都得体，只有她自己知道不是出于本意。

为了表现男主角的深刻，拍了五分钟他在街上无所事事，茫茫黑夜漫游。

为了表现女主角身处危险边缘，拍了她男朋友跟人打架，刀扎进大腿里，半夜赶去医院不能回家，还要骗女主角是朋友出了事……

说过了，是一部很假的电影。

我们挨着坐，因为紧张，我开始出汗，担心她察觉到我出汗，就出了更多汗。

我："空调开一下？"

她按了暂停，起身去找遥控器，回来的路上说："你听说过吗？成都有个老太太，为了破吉尼斯纪录，用舌头停风扇。"

我："哈哈哈哈哈哈，没听过啊，这也太傻逼了。"

她："那是我奶奶。"

我们停了一下，狂笑起来，笑到瘫在地上，我穿过地毯的毛看到她的眼睛，我爬过去亲她。

感觉自己终于不出汗了。

女主角：

这个地毯是我男朋友买的，花色我一直不喜欢。

我没说出话来，他就过来了。隔着地毯的毛看到他时就预感到了，眼神在灰色的毛里钻，我也没说出拒绝。

我还在"谁让你只待一天"的气氛中，相信他也是。

我们不应该在这个气氛中。

我们滚到沙发上，他开始解我的衣服。

沙发我也不喜欢，也是我男朋友买的。

我看了眼手机离我不远，手机正好亮了起来，是我男朋友的微信。

我："等一等。"

必须等一等了。

我终于说了一句自己想说的，早就该说的话。这句话的意思，在他听来是让他等一等，其实我是想让上一句，那句"谁让你只待一天"等一等，让它的逻辑和余震等一等，不要再这么发展。

他："嗯？"

我过去拿起手机，是我男朋友问我在干啥。

男主角：

我看到她拿起手机，猜是她男朋友，我把衬衣的扣子系好，等待进一步发落。

女主角：

迟早要分手，现在还没分。

这也不是拒绝他的主要理由，分不分手对我们上不上床影响不大。

主要是拒绝自己，太多年了，不能再这样了。

确实我要负很大责任，是我让他以为一切可以顺理成章。

可我一直都说了不算，不是出于我的本心，不光是这次，不光是和他，也不光是这种事。沙发，地毯，男朋友，一切事我都知道得体的处理是什么样，什么样所有人都会满意，除了我。

就让他当第一个不满意的吧，从我的角度看，他对我来说，反而是最特殊的一个人，是我人生的转折点。从他的角度看，叫他来，又不给睡，可能会觉得我有病。

我："要不我们还是把电影看完吧。"

他："嗯，看吧，你的手机号要出现了。"

他扣好了扣子，没再跟我一起坐到地毯上，什么都没说，没进一步努力。真的太像我弟了，没冲突时温柔，有了冲突怯懦。

我弟也太像我了。

我们把电影看完了，女主角的男朋友杀掉了女主角以后，去找男主角，镜头跟着这配角走向远方，电影到此结束。

他："我改个签，等下直接去机场啦。"

好吃的不吃啦？不后悔吗？下次你还请得到这么多天假吗？

这些话，这些又要把事情引回去的话，我都忍住了没说。

我："嗯。"

配角：

储物箱后备厢都上锁是因为我的工作不太合法。

收钱办事。

我知道我女朋友认识了一个什么人，要来成都看她。

能理解，平时跟她交流太少了。

我现在就在家门口，钥匙已经插进去了，可一方面是爱她，一方面是真杀了人，我在成都也待不下去了。

我发了微信问她在干啥，这是我们所有人的最后一个机会。只要她能诚实。

她说跟一个朋友在家看电影，马上要出门，送他去机场。

很好，她发过来的微信没有避讳，用了"他"。

我把钥匙拔出来，从门边离开，松了一口气。

男主角：

她送我到了机场。

什么都没有发生。

我能看到她眼里的抱歉，说实话，无所谓。

我已经闯入了一段陌生人的生活，对我来说已经足够。如果联系再紧密一些，如果她为了我分手，眼里抱歉的就会是我了。

我对人和人的关系不敢要那么多，我对一切关系的需求都很低，我可以一直茫茫黑夜漫游。

北京在下雨，晚点五个小时，还是飞回去了，雨没停，飞机开始下降时看不见城市，颠簸很厉害。

我合上书，看着外面，感觉平静。每次这种时候都这样，我也希望我能有些别的情绪，可是只有平静。

身边的大哥抻着脖子往外探，我往后靠一靠，为正常人恐慌的目光让了一让。

如果他认为这是最后一眼，并且坚持要看的话。

女主角：

什么都没有发生。

我气了我男朋友一下，我说跟一个朋友在家看电影，马上要出门，送他去机场。

这在以前是不可能的，我从好多以前自己说过的话中慢慢摆脱，我要看看事情会怎么样。

结果我男朋友什么都没回。我很失望，这算什么。

他把那张碟落在我家了，我得出去扔一趟。

就算将来再见面，也没有必要还给他了。

确实是部很烂的电影。

在白光后

今时今日，敢结婚已经强过了大部分人。

1

白天上课碰到的麻烦，武文学没打算跟张燕讲。

张燕做了笋尖炒肉，卤了点鸡爪，炒了个苋菜。

武文学："今天布置寒假作业，又要熬完了。"

张燕："我们也结算呢，累死，我们那个分行长问了又，孩子假期想找你补补英语，明年也高考了。"

武文学今天就是随口提了句莎士比亚，才引出的麻烦。补习倒是肯定不会提莎士比亚。

武文学："我都多长时间不教高中了。"

张燕："三年。"

武文学："对啊，都三年了。"

张燕："那年也是冬笋下市的时候。"

"累呀，教不了，can't do it anymore呀。"武文学截住张燕话头，白天就够累了，三年前的事，学生们爱提，他不爱提，张燕其实也不爱提，要不是为了每小时五百块补习费，她连分行长都不愿意提。

张燕："知道你累，就是小蕾也要用钱了呀。"

武文学低头吃冬笋，好吃，冬笋英文是 winter bamboo shoots，高中也没啥教不了的，就是三年前那个事儿，要说没影响，肯定还是有点儿影响。他一直带高三，名校二流老师，也教出过英文满分的，累呀，出了那个事，他觉得更累，就不想再那么累了，现在是二流学校一流老师，凤尾到鸡头，舒服多了。

武文学："咱钱不够花吗？"

张燕："够是够，就是万一哪天咱俩走了，想给小蕾留个房子，再买份白光险。"

武文学："那种保险靠谱吗？"

张燕："老武，死马当活马医，咱们全是死马，小蕾和你妈是活马，你说医不医。"

武文学："不至于，我看那个自动离婚机铺得挺广，咱不一定走。"

张燕："是不一定走，还是没把握走，还是不想走？"

冬笋吃完了，苋菜还剩了点儿，张燕收拾桌子。

张燕："保险不靠谱，机器就靠谱了？还是免费的？你不说免费的东西肯定不行吗。"

武文学："那都多少年前说的了。"

武文学啃起鸡爪，岔开话题。

武文学："明天去看你爸你妈带小蕾吗？"

张燕："小蕾现在啥都能听懂，她姥姥姥爷那一套，活马也得医成死马。"

武文学："那保险我再了解了解，房子太麻烦了。"

张燕："房子能不买就不买，我倒不是为了咱俩，我就是不想让我爸妈得逞，烦死人。"

2

张燕爸："小武，燕燕，爸不是啰唆，形势比人强，你俩可别这么过日子了，能离最好离，不能离，也至少先分居。"

张燕听着不答话，武文学躲在一边玩儿手机，看一篇比较几种闪电离婚App优劣的文章。张燕爸前段时间中风了，坐在轮椅上，精神很饱满，张燕妈还没回家。

张燕爸："你们也老大不小了，爱啥呀爱，三年前没把你们照走，一方面是命硬，一方面是天意，天意就想让你们分开，你再看看你们，还人定胜天了，越来越恩爱，这不行呀。小武？"

武文学突然被叫，放下手机听讲，敷衍应声。

武文学："哎，爸你说。"

张燕看他一眼，嫌他敷衍得太明显。

张燕爸："想想你妈，想想小蕾，你俩相亲相爱，真照走了，他们咋办，我和张燕她妈咋办。我俩虽然是没感情了，也不用你们照顾，可是我们对张燕、对小蕾有感情。当然了，对你也有一点感情。"

武文学："谢谢爸。"

张燕："爸，好好养身体，别想这些了。"

张燕妈推门回来。

张燕妈："来来来，接一把，鱼。"

武文学接鱼去厨房。

张燕妈坐下："你爸跟你俩说没有，这日子可不能这么过了，太危险了，那个光又照了。"

张燕爸："你一回来就打乱我节奏，我还没讲到那儿呢。"

张燕："我们也看新闻了，也没照走人。"

张燕爸："那是因为非洲没人，刚出文章了，照走了一对儿斑马，一对儿长颈鹿，你说这你服不服。"

张燕："爸你快少看那些文章吧，那照之前都没人的地方，他咋能知道照走啥了？"

张燕妈："燕燕，我跟你爸是没感情了，可这我支持他，国家都推广街边快速离婚机了，说明啥？处境一天比一天危险。三年前你俩没走，多好，想想都后怕，你说你俩那会儿要是没在车上，也进来了，留下小蕾怎么办。"

武文学："妈，鱼还是做清蒸？"

张燕妈："你收拾好了放那儿我弄，你过来。"

武文学过来，满桌找纸想擦手，张燕从自己包里拿出一张递给他。

张燕妈："你们看那谁家那两口子，多恩爱，今年也不坚持了，离了。人家也相处挺好，永远不见面，不给培养感情的机会，孩子跟妈两天跟爸两天，茁壮成长，值得学习。"

张燕："他俩恩爱三年前咋没照走。"

张燕妈："说的就是，你俩不也没照走？你们不也觉得恩爱？感情这东西，不是像我和你爸这种，已经保证没有了的，可不能在一起住。"

张燕："我俩又没让照着。"

张燕爸："我跟你妈让照着了呀，正摘樱桃，眼睁睁，老李老两口就没了，樱桃撒一地！那照走是好事儿吗？他们家儿子前两天还来看我，还掉眼泪呢，说想爹妈，多可怜。"

张燕："李峰那人就是爱装，他多不孝顺你们不知道吗？那年摘樱桃咋不说陪着去，现在来劲了。"

张燕爸："爸还看了个文章，说有人让白光照去，一下发现他跟他对象没感情，俩人又回来，说了，那边可恐怖了，就是地狱，爱情地狱，阎王爷胸口画个爱心。"

张燕："爸，你真的少看那种东西，有时间出去透透风。"

张燕爸："我还透风，你就是没文化，武老师，我跟你说。"

武文学："爸，我也正好刚看了篇文章，讲说多吃黑豆、木耳、黑芝麻，这种黑色食品，按配方组合好了，两口子一起吃，就能不被白光照走，我转给你看看，我做鱼去了。"

吃鱼时，张燕爸跟武文学交流了一会儿文章，又把话头引回去。

张燕爸："李峰那孩子孝顺不孝顺爸不评价，以前可能是真不孝顺，现在也可能是真孝顺，社科院都早说了，白光深刻地改变了我们的社会，那它肯定也能深刻地改变人，你俩变没变爸也不评价，就是劝你们多想一步，以后别那么说李峰了。"

张燕低头吃鱼，有点羞。

张燕："嗯，我那么说不好。"

武文学："爸，也别老操心我们，中风现在好治，我们给你找找朋友，就一个手术的事。"

张燕爸："不治，坐轮椅多好，有人伺候还不好，治好了还得动。"

张燕妈："你们说说，我能跟他有感情？"

张燕爸："咱俩有没有感情，那是验过了，不用交流，还是多操心孩子。"

张燕赶紧给他夹鱼。

张燕："爸，你现在的牙口，还能吃鱼不吐刺吗？"

张燕爸："当然能！"

张燕爸把一块带脊骨的肉颤颤送到嘴里，猛嚼起来，嚼了有快一分钟，家人们就这么看着他，等结局。

3

武文学和张燕从父母家出来，走在马路上。天已经黑了，街上亮起各种灯，唯独没有白光——白光违法，制造公众恐慌。只有家里和追求刺激的私营场所内，才能点白光，夜店里的气氛高潮，总是白灯大开，一对对明晃晃接吻，要让全世界都看见自己的爱与勇敢。怀里搂的是谁，不太重要。

武文学："那个李峰，还能来看你爸，可能是真后悔了。"

张燕："可能就我爸还愿意理他。"

街上不少人，有跑步的，有蒙眼跳舞的，像武文学和张燕这种一男一女的组合不多，隔几米就能看到刚投放的自助离婚机。

武文学停下研究，"这跟手机上的差不多，人脸一识别，两秒钟就离了。"

张燕："快走吧，地铁要停了。"

武文学看到一个男人遛着一只大狗从他们身边跑过，心想，至今还没有听说人和狗被照走的案例，但这也说不准，也许真有，家人压了消息。

武文学："下次别把车停我妈那儿了，走哪儿还是开着。"

张燕："你妈那儿停车不是便宜吗。"

武文学："你又不怕在地铁里白光来了不知道了？"

张燕："我不怕，我什么都不怕。"

武文学："地铁也有提醒装置。"

张燕："没有我也不怕。"

武文学："那咱还买白光险。"

张燕："买它是因为怕吗？"

"叔叔叔叔，给阿姨买束花吧。"街上不常见卖花的小孩儿了，这孩子说完观察着武文学和张燕的表情，可能背后老板教过，说完情侣没反应，就得赶紧接下面一句：

"买了也可以不代表你们永远相爱，爱到白光来就行！"

武文学拿出手机扫码，"都给我吧。"

张燕："你又有钱了，买它干吗。"

武文学："我妈喜欢花。"

4

武文学爸爸死那年五十多，不记得妈妈哭没哭，那是平静的丧事，除了张燕妈跟张燕爸因为某些丧葬细节，扯到了他们分别死后对方会怎么样私下生了气之外，没有一点波折。

那年的张燕，武文学是爱的。

武文学妈沉默稳重，小蕾跟奶奶好，也像奶奶一样不爱说话。

武文学："妈，我们接小蕾回去了。"

奶奶："嗯，忙再送来。"

张燕："妈，要不你也一块儿，来我们家住呗。"

奶奶："不去，我一个人挺好，不操两个人的心。"

小蕾："奶奶我走啦。"

奶奶："想奶奶就给奶奶发心，咱们还做菜玩儿。"

小蕾："嗯！"

武文学想，就算三年前他跟张燕被白光带走，似乎也不会影响这对祖孙的关系。

可惜没照走。

车上张燕摆弄手机导航。

张燕:"这个距离功能又更新了,非洲那次白光直径不小,现在数据算出来,两个相爱的人,得至少距离五百公里,才不会被白光照走。"

武文学:"五百公里,不是西藏,就是湖南了,你想让我去哪儿教英语。"

张燕:"你真有心教,注册个账号在家就能教,人家李楠都线上教多少年了,都教海外华人学数学了。"

小蕾坐在后座玩儿游戏,《爱心厨房》,不时发出煎炒烹炸的声音,不知道奶奶又送了她什么新道具。

武文学:"李楠说周末两家吃顿饭,带上小蕾。"

张燕:"李楠又想拿小蕾刺激老墙。"

武文学:"有啥用。"

张燕:"你挺了解老墙呗。"

武文学:"你不了解?"

张燕:"我就不了解,我看不出来他到底爱不爱李楠。"

武文学从后视镜看向张燕,张燕看向武文学,两人对视了一会儿,都不说话,街灯昏黄,一盏盏过去。

武文学："对李楠真挺好，比秦山强。"

张燕："秦山在的时候，咱们不也说秦山好。"

武文学："你爸怎么说的来着。"

张燕："哪段？"

武文学："深刻改变，改变你我，秦山是白光前的人，老墙是白光后的人，老墙至少勇敢。"

张燕："就是不生孩子。"

武文学："你觉得李楠要是有了孩子，会不会反而离开老墙。"

张燕："老墙是担心这个？"

武文学："我也没那么了解他，我就说李楠。李楠是伤心了。"

张燕："你还跟秦山好朋友呢。"

武文学："我有时候还挺想他。"

张燕："可别跟李楠说。"

武文学："你别跟李楠说就行。"

张燕："说了估计她也能理解，我们李老师，我看她就快连秦山都能理解了。"

武文学："伤心了，伤透了，不能理解更难受。"

今天是满月，亮白的大脸正要从云后探头，市政的干扰雾喷过去，月色血红。

小蕾床头，武文学从睡着的女儿手里拿过手机，给小蕾的好友"厨神女老饕"发去消息："妈，小蕾睡了，你也早点休息。"

武文学走回卧室，张燕已经躺下，关了灯，武文学从后面抱住张燕，张燕睁着眼，他也睁着眼。这回两人看去的方向没有后视镜，自然就看不到对方的眼神，自然就更不必有话要说。

张燕："也不是非得理解对不对。"

武文学："嗯。"

操控着干扰雾追着月亮的工人同样瞪着眼睛，困得想死，期待月圆之夜快点过去。

也期待白光早点照照这城市。

5

李楠是武文学前同事，还当着名校名师，还有联系是因为张燕跟李楠关系好，武文学以前是跟李楠前夫秦山关系近，现在是跟李楠如今的男朋友老墙关系近。武文学也不是想跟他近，挡不住老墙跟谁都近。

老墙开车来接武文学，说："让她们女人开你的车。"

老墙跟武文学显摆车上装备："你瞧这个副驾驶这个头儿了没，这个可高级了，就你坐这个地方，同样一个女的，坐过三次，就要提醒了，警告我，是不是爱上这女的了，不能再让上来了。"

武文学看那个摄像头，黑黑的，直勾勾盯着他。

老墙："我跟李楠也男女朋友两年了，你说说，多危险，我不时拉点别的女人，真跟李楠爱得深沉了，咋办，都得死。"

武文学："那要是跟别人深沉了呢？"

老墙："你说跟那些女的啊，不可能，根本也不喜欢，再说这不有设备防着呢。"

武文学："李楠还催你要孩子么。"

老墙："头痛头痛，这女的不怕死了，还说白光来了一起走，冲动冲动，你帮我想想办法。"

武文学："咱都是死马。"

老墙："我听李楠说，白光照咱们这儿那次，你们两口子就在车里，眼睁睁看着白光在旁边照过去，一点儿没让扫着？"

武文学不答老墙，拿出手机看视频：

去年白光就连照过秘鲁那个村子两次，我跟我爱人，还有我们全世界这些相信真爱，想去白光圣地的人就是期待奇迹再次出现，我们追光人都来了！

武文学看出他们在非洲刚刚被照的那个地方，这些人自称追光人，别人管他们叫白痴，总是成双成对，追着白光，希望能被照走。白光出现是如此随机，谁也说不清这些人是真的渴望证明真爱，还是想通过这种渴望向他们的伴侣证明真爱，会不会有两个人都不爱对方，只是爱这种不怕死的劲头。

特别是还有那些唱情歌的，总是一男一女声称真爱的偶像组合，也必会出现在这些地方，不是追光者的人们，很热衷嘲笑他们，等着看他们被照后没走的尴尬。

老墙："白光险你们看得怎么样了。"

武文学:"没细看呢,张燕好像想买。"

老墙:"发明这玩意儿的人真是坏透了,比我还坏。不买,好像你们就不相爱,买了,到时候照了没走,保费不赔,缺德缺德,真要买我给你们打折。"

武文学从后视镜看过去。

武文学:"老墙,你觉得李楠爱你么?"

老墙:"爱啊,不爱老逼我生孩子。"

武文学看着他,不说话。

另一辆车里,李楠通过后视镜看着张燕。

李楠:"成年人和成年人,说不清楚了,不想了。我就知道我每次看见小蕾都爱得不行,多好啊,爱得不行的感觉,我得有个孩子,小蕾,给你生个妹妹陪你打游戏,怎么样?"

小蕾不抬头,"奶奶同意就行。"

五个人到了餐厅,刚坐下,远处又过来一对人,老墙招呼着。

老墙:"忘跟你们两口子说了,这对儿可来劲,你们一定认识认识,笑死我。"

两人并排走来,拉着手,走近,武文学发现他们身体通过手肘处一根细细的管子连在一起。

老墙："小本，媳妇儿叫派派，这是武文学张燕，跟你们说过，白光擦着边儿没照走那俩。"

小本抬起右手握手时，所有人都看着他手肘上那根连着派派的管子颤颤巍巍。

握完别人的手，小本自然又握住派派的手。

小本："最新技术，连接爱人，管子取自我俩的细胞生成，不光语言交流，细胞每秒都在交流，不分开，白光来了一起走。"

老墙："高级高级，人家这生意做的，服了服了，这能摘吗？"

派派："能摘的话，连接的意义在哪儿？一辈子不摘，直到白光带我们走，武老师，你们被白光擦过边，那是种什么感觉？"

武文学盯着管子，发现也不太难看。

武文学："没照着我们。"

小蕾放下了手机，用手去摸那根管子。

张燕："小蕾！"

小本："要摸的，孩子要摸的，感受爱的力量。"

他这么一说，小蕾又不摸了。

小本："你们要摸摸吗？"

大家一时尴尬，还是老墙有探索精神。

老墙："真是真皮的啊，好好，手感好，这啥都不影响？"

小本："啥都不影响，而且因为能通过它感知彼此心跳，和节奏，在做一些需要节奏的事时，格外有帮助。"

老墙脸一红缩了手，武文学也有点脸红，抬头看，女性们倒没一个害羞的，反倒有了兴趣。

李楠："可惜就是不能摘，不然咱俩也连接一下。"

老墙："咱俩连接得不挺好么。"

小本："靠着感情的连接，和真正的连接，还是不一样。感情已经连在一起了，肉体就更要连在一起。"

李楠："对嘛，连在一起的方式也很多啊，我看武老师和张燕没有管子，但有小蕾连接也很好呀。"

老墙不说话。

派派："不一样的，孩子是种负担，白光来了不能一起走，真正的感情，也不是靠孩子来维系的，孩子承担不了这个压力，对不对武老师。"

武文学："是啊是啊，children 不行。"

点了一桌子湘菜，小本给派派夹菜，大家都看见了。

老墙："哎哎，这不还是影响生活么。"

小本："哦，没有连接的时候，也是我给她夹菜。"

老墙："你俩这上洗手间怎么办。"

小本："我们在车里装了简易厕所，也正在呼吁公共设施部门，尽快推出夫妻共用卫生间，就算不像我们一样连接，你们难道就不想一起上厕所吗？"

大家不说话，低头吃饭。

老墙："我也给你夹个菜。"

夹了块豆干给李楠。

武文学赶巧也夹起一块，运回碗的途中，中途改道，放进了小蕾的碗里。

李楠："你看看，有个孩子多好，不用像你这么肉麻。"

小本："李老师，我不觉得老墙是肉麻，你可能跟他还是缺少连接。"

李楠："是啊，我也发现了。"

老墙："你还想吃什么你说。"

张燕："我去上个厕所。"

老墙："武老师，你不陪着去啊？"

老墙说完自己笑，别人都不笑，老墙也不笑了，给自己夹了豆干，堵上自己的嘴。

6

小陈："我们这个保险，特别适合二位这种情况，白光照走，按投保金额，百倍返利给留下的亲人，当然这个亲人由你们划定范畴。"

武文学："我听说是有不赔偿的情况。"

小陈："不赔偿情况无非几种。两位选择了离婚，这个是退还本金，不过是需要一定年限。还有就是白光照了两位没走，那就是不赔偿，直到下一次照走。最特殊的情况就是白光来了，两位中有一位走了，另一个没走，那么我们肯定是不赔偿的。"

武文学不说话，想起了李楠和秦山。

按照老墙建议，咨询保险最好一个人去："那条款说得都太伤人，俩人一起去就没有能买成的。"

李楠约了张燕去逛街，男女出双入对的少了，商场按性别分，有的里面连男厕都没有，女性服装和化妆品的广告越来越倾向于强调产品是纯为了女性自己开心设计，拿到手里会发现，跟以前也没什么大的不同。

　　李楠和张燕坐在一家咖啡馆里，装潢卡通，饮品也卡通，结婚不再是个压力，长大就也不再是个压力了。白光出现三年来，女孩子轻松了许多，街上多了很多曾被评为幼稚、公主病的去处。男的变化不算大，男的本来也没有承担过长大的压力。

　　李楠：“秦山走了以后，我也是想了又想，才把这个想明白，要是有个孩子，我现在是不是能快乐很多？”

　　张燕：“别想他了，老墙不是挺好。”

　　李楠：“秦山走了这事我就想明白了，可不可靠，好不好，人是看不出来的，只有白光能看出来。”

　　张燕：“走了也好，你看我爸我妈倒是都没走，现在那日子过的，我觉得他们精神都出问题了。”

　　李楠：“你和武老师怎么样？”

　　张燕没答，服务员走来。

服务员:"女孩们,送你们一对挚爱公仔,爱情虽好,也要注意安全哦!"

张燕接过来,这是跟闪电离婚App、自动离婚机有一样目的的设备,外形可爱,用法是,白光来时,按一个键立马由熊嘴向对方脸上喷射恶臭但无害的液体,希望可以让两人在那一瞬间失去爱意。

这种产品还有很多,厂家们都宣称自己的产品能经受住白光考验,广告里也有用户出来作证,但也传出过不和谐的麻烦——咱俩没走,是因为这个产品好呢,还是就因为你不爱我了?

李楠:"这些玩意儿只会让人更烦,远不如生个孩子,跟孩子过。"

因为同性恋人没法使用自动离婚机这种设备,挚爱公仔这样的产品,主要市场就是同志群体,张燕和李楠懒得跟服务员解释她们的关系,接了过来,道了谢。

李楠:"有时我也想,秦山跟别人配对被照走了,我也不能说完全无辜。相爱的人会被照走,我相信秦山还是有一点爱我的,不然早离婚了对吧?可他肯定更爱那个女人,那个女人也比我更爱秦山,两个人的爱加起来，才够了白光需要的值。要是我特别特别爱秦山，那么我和秦山相爱的值，也有机会超过他俩加起来的。归根结底，还是我也不够爱秦山，白光才把我留下了。"

张燕："听不懂数学老师说话，不爱挺好，好好跟老墙处呗，我看他办法多，心眼多，你俩被照了能有办法都不走。"

"啥办法？我看也都是这种烂办法，"李楠挥挥挚爱公仔，"他不爱我，我也不爱他，我就想要个孩子。"

小蕾无视店里准备的各种娃娃玩具，专心打着游戏。

张燕："你看看，这好吗？"

小蕾："我怎么不好了？"

两个大人笑起来，一同连连说好。

张燕："这孩子越来越像她爸，关键时候就来上这么一句有用的，但其实啥都没说。"

李楠："我们武老师那是人精，也就是不努力，谁教学能力有他好？也就秦山跟他差不多。学生都要爱死他了，我看武老师是真不爱钱。"

张燕："我都不知道他爱啥。得让他多跟老墙相处。"

李楠："老墙这样的男人世界上已经够多啦。"

武文学看来看去，把一大堆材料合上，推回给了小陈。

小陈："武老师，您是墙哥的朋友，我就直说了，确实，这个保险，一般来说，来买的客户主要是年轻人，像您家这种情况，我个人是推荐你们还买房产，是更安全的。"

白光后，由于人口减少，按说房子是便宜好买的，但是白光也造成了大量夫妻离婚，结婚率大幅下降，两人合伙儿买房的少了，房子反而更加紧俏，每人限购一套，结了婚变成两人一套。

小陈："我知道政策的问题，墙哥有关系。没白光的时候，大家互相算计，有了白光，咱就都是一伙儿的了，得算计白光。你们做个离婚，这一套程序我都跑熟了，没人真查。"

武文学："离了还能复婚吗？"

小陈："离了不复婚，我们也有合法的遗产继承途径，反正都走了，就是留给孩子父母，对不对？"

武文学："小陈，保险、房子你办了这么些，你说咱们这儿白光照一次，你们公司得赔多少？"

小陈："武哥，关起门来说，我们是全国连锁，大企业，全国都卖保险，全国能有几个地方被照？这三年，也确实有被照的，实不相瞒，还是没照走的多，你想啊，有真爱的三年前都带走了，剩下的就算还有点儿爱，这么互相怀疑三年，也都没了。"

武文学："我想也是。"

小陈："不想就没事儿了，有孩子就把遗产安排好，没孩子连这都不用操心，你看我们墙哥多快乐？"

敢于相爱的人变少了，那些原本也不太明白爱是什么的，终于也不用逼着自己爱谁了，性服务就变着法冒起头来。张燕和李楠经过一家饭店，全部健美帅哥服务，不穿上衣。

张燕："老墙又出差了？"

李楠："谁知道，他就这一点好，我不用担心他跟秦山一样一去不回，心本来也没在我这儿。"

张燕："他心在钱上，钱又给你花，等量代换，还是在你这儿。"

李楠："等量代换不是这么用的，我也不想让他代换，你上次说你们行长孩子找我补习？"

张燕："也找我们武老师了，不去。"

李楠："今天从小陈那儿回来就不一定了，那是老墙的好朋友，更不是个好东西。"

张燕："你这么用，算不算等量代换？"

李楠："不要把我们数学庸俗化。行长孩子多大了？"

张燕："高二。"

李楠："那你们行长当年照到了没？"

张燕："没。有孩子又怎么样，孩子三岁那年就离婚了。"

李楠："离婚了还操心孩子学习，也算是好男人。"

张燕："在你这儿，有孩子的都是好人。"

李楠："你也不要把我想生孩子这事庸俗化，我是严格用逻辑推理过的，必须要生。"

张燕："你这就不叫把数学庸俗化了？"

李楠："生孩子不庸俗，用逻辑推理出必须生孩子也不庸俗，生出孩子以后教孩子背圆周率那些人才庸俗。"

张燕："我看给孩子补习也是，能有什么用。"

李楠："确实没用，不过你们行长有钱。"

张燕："我就知道你打算接。"

李楠："不能让老墙觉得花他钱是没钱花，得让他理解，花他钱只是为了跟他建立感情。"

张燕："他理解了吗？"

李楠："不知道，这人傻得要命。"

两个人说着话，经过那家半裸餐厅，都朝里看，谁也没提要进去。

7

晚上回了家，张燕没做饭，在外面跟李楠吃了，明天两人又要上班，小蕾送去了奶奶家。

张燕告诉了武文学，让他在外面自己吃一口。

张燕整理买的东西，拿起一张半裸餐厅门口发的宣传单，文案露骨："欢迎对外表自信的女士前来就餐，经专家打分，九分以上免单！所有服务免单！"

张燕坐在沙发上，看向远处的穿衣镜，没有起身，就那么看了一会儿。

武文学找了家兰州拉面，在昏黄的灯下听新闻，电视色调也是暖黄。新闻说专家研究了非洲被照射的土壤，发现了一些新成分，正在研究，有望研发出对抗白光真正科学的武器。

因被白光连续照耀，秘鲁那个小村已经发展成了拉斯维加斯一样的地方，全世界相爱不相爱的，热爱探险的，都往那儿聚，犯罪频发。有专家在研究白光对社会结构的改变。

偶像团体"双手"夫妇，又在非洲演唱了他们的经典曲目，《白光来了一起走》。

　　白光来了一起走
　　握紧你的我的手
　　白光后面是什么
　　相爱的人不回头
　　白光来了一起走
　　干掉这杯那杯酒

单身朋友等什么

爱在等你去拥有

一起走一起走一起走

双手双手双手

……

曲调难听但上口，武文学看到旁边一个吃面的小伙子，跟着这个音乐晃头，看着外面。

武文学也看向外面，不自觉也晃起了头。

晚上躺在床上，武文学玩儿手机。

张燕："那就是不买了？"

武文学："还是推荐咱们买房子。"

张燕："也好，我爸妈这回高兴了。"

武文学："你们那个分行长还找人不。"

张燕："想通啦？"

武文学："房子又不是离了婚政府就奖励咱一套。"

张燕："武老师，沧海桑田，你始终是好男人，好丈夫。"

张燕说完抱住了武文学，武文学也抱了抱张燕，两人沉默一阵，分开了。

张燕拿出那张宣传单给武文学看。

张燕："你说我能打几分。"

武文学："他们这么物化女性，网上怎么没人声讨。"

张燕："我观察了，他们发这个卡也是受训了，不是见谁都发。"

武文学："看脸能看出来谁比较尊重女性？"

张燕："所以我觉得他们这个打分可能挺准的。"

武文学："算了，咱们满分的不去占人家便宜。"

张燕放下卡，拿起那个挚爱公仔放在枕边，又把闪电离婚App打开放在手边，凑过来要亲武文学。

武文学无可无不可，也打开手机，放出了《白光来了一起走》。

张燕一边亲武文学，一边伸手去制止，武文学跟她躲着玩儿，两人不小心触发了公仔，臭水喷了武文学一脸。

张燕"啊"了一声，两人笑起来，武文学赶紧起身去了厕所。

张燕捂着鼻子去开窗通风，换枕套，慢慢不笑，拎着破损的公仔出屋去扔，路过洗手间，听见洗澡的武文学，还在哼着那首歌，张燕冲里喊了一句：

"我有时候真觉得你是故意的。"

歌声没停。

8

"Mr. Wu，上次那个问题我还是想问。"

课堂上，乔获又站起来了，同学们看起热闹。

武文学："非英语问题，咱们课后讨论。"

乔获："思考决定着语言，语言也决定着思考，这不是你说的吗？"

武文学："莎士比亚的时代没有白光。"

乔获："可是莎士比亚的时代有爱，我们也有爱，您觉得他们规定到了高中必须分男校女校，这样合理吗？而且这能挡住爱吗？"

同学们发出嗷嗷的起哄声。乔获清清秀秀，一看就是学习很好，又很有自己主意的那种男孩儿。这种男孩儿，一般不招同龄人喜欢。

武文学："安全第一，学校要对大家的生命负责。"

乔获："我听说下学期开始，我们初中也要实行分校了。"

武文学："有城市发生了初中生被白光带走的情况。"

乔获："可要是我们就是想被带走呢。"

同学们起哄声更大，除了看着乔获，眼神也往一个女生那儿去。那女生红了脸低着头，武文学看见了，赶紧把眼神收回来，装没看见。

武文学："按照现在科学家对白光的理解，两人没有距离超过五百公里的话，还是会被带走。"

乔获："可是我们走之前相处的时间就变少了呀！"

乔获说到这儿，急出了眼泪，同学们不嗷嗷了。

武文学："早恋本身就不允许，从来就不允许，现在更不允许，这有生命危险。"

乔获："老师，可是我没有办法，I have no choice。"

武文学："乔获，希望你不要占用大家上课的时间，老师有老师的立场，同学们有同学们的立场，你们有你们的立场……"

"老师我跟他没立场！"

低头脸红的女孩儿喊了一句，同学们重新开始起哄，乔获更着急。

乔获："你怎么能这么说，我……"

下课铃响了，女孩儿跑出了教室，乔获原地坐下，起哄声鼎沸，武文学追出了教室，看到女孩儿身后跟了一些她要好的朋友才放心。

按照学校规定，发现早恋必须上报，由学校通知家长，由家长决定是否转学，是否搬去别的城市。

孩子们的爱，实在没法用成年人的办法解决。成年人的爱也一样。

武文学想单独再劝乔获两句，实在觉得自己也没有立场。

当年白光来的时候，自己班上就有两个同学被照走了。孩子走后，女生家长翻看日记，发现里面有这样的记载："我们好幸运能遇到武老师，他理解年轻，理解爱。约好了毕业后要常常回来看武老师。"

家长因此记恨武文学，认为如果他上报了早恋，孩子就不会被带走。

武文学这回去上报了学校。

教务主任："武老师呀，这事管不得，装不知道就好了嘛，下学期他们还能这样啊？一个假期，心就散啦，都是年轻人过来的你说是不是。"

武文学："我就是按规定说一声。"

教务主任："嗯嗯，下学期可别再讲莎士比亚了，都什么时候了。"

武文学想说什么，没说。

教务主任："武老师，那就辛苦你通知一下乔获来找我，我先跟他谈谈。"

武文学不说话。

教务主任看武文学。

教务主任："行行，我自己去叫，不叫你当恶人。"

9

老墙："你看这怎么样，花了我不少钱。"

老墙家面积不小，有江景。听说李楠和武文学都接了给孩子补习的活儿，老墙就让他们来他家。那个分行长老墙也打过交道，"可别去他们家，看见什么不该看的麻烦。"

老墙给武文学炫耀的，是客厅墙上一幅巨大的照片。

老墙："这是当年咱们这儿过白光，有人拍下来的。"

照片曝光过度，什么内容都没有，白亮亮一片。

老墙："我知道，你肯定要问，我咋能确定这是真的不是被骗了？我也不能确定，咱就聊艺术价值，你盯着看，是不是挺有感觉。"

武文学："最近不催你要孩子了？"

老墙看向那边关着的书房，李楠正在里面给孩子教数学。

老墙："老叫你去夜总会你不跟我去，我跟你说，妈的，现在去玩不嗨了，老觉得对不住李楠，麻烦麻烦。"

武文学："李楠好像也不需要你觉得对不住她。"

老墙："烦就烦在这里了。"

老墙点根烟，注视着照片。

老墙："你说他们被照走到底去了哪儿，那边有没有江景房，有没有夜总会？"

武文学也看着那张照片，想到，白光之前，两个成年男人坐在一起，谈爱的事情极少发生。

李楠下课了，武文学准备去教英语。他调整状态，希望自己讲得尽量无趣、无情，他不想再听到任何年轻人的秘密。

李楠："少抽点烟。"

李楠收拾包。

李楠："我去跟张燕弄头发去了，武老师好好上课啊。张燕让我嘱咐你，别太用心，交差就行。"

老墙掐了烟，要站起来。

李楠："不用你送，我自己开车，走了啊。"

老墙等李楠走了，又点起烟。

老墙："你教英语我能听听不，不打岔。"

武文学："你学它干吗。"

老墙："李楠那个前夫不是教英语的么。"

武文学没再接话，点了点头。

李楠和张燕弄完头发，没怎么沟通，就又溜达到了那个饭店前。

门口服务员热情招呼："美女好呀，我记得两位，请进请进。"

外面看挺神秘，进去了没什么，张燕想，白光也像这个饭店一样就好了。

可以选男服务员陪着喝酒，刺激一点的玩法，就是聊天的同时，时不时有白光突然照过来。

李楠："我刚出门劝老墙少抽烟，他皱了皱眉。"

张燕："你催得太紧了。"

李楠："刚给我发消息，说要出趟差。"

张燕和李楠旁边坐了两个半裸的小伙子，她们还是挨着坐，没打听专家给打了几分。

李楠："会不会跟秦山一样。"

张燕："你不是挺想得开的吗？"

一阵白光照过来。

李楠："你说秦山被这么照的时候，想过哪怕一秒钟我吗？肯定没有。可要是我们有个孩子，他肯定会想孩子，想到孩子难免就要想到我，那样一来，他可能就不会被照走了。"

张燕："你下次带老墙来试试，看看他被晃了想谁。"

李楠："我看他没事就盯着客厅那照片看，琢磨。"

张燕："他可能就是在想自己上了当，买了那么幅骗傻子的照片，后悔呢。"

李楠："真要这么简单就好啦。"

张燕："老墙这人多简单啊。"

李楠："他简单，你不是见过小陈吗，没听他天天都做些什么事。"

张燕："复杂都在表面上了，心里简单，不像武老师。"

李楠："武老师啊，我分析过，一个人掌握两套语言，就相当于有两种思考方式，两种价值观，没人烦他自己就够烦的。"

张燕："他能同意给补习，我已经很感激了。"

李楠："好好过，你们俩多好啊，赶紧把婚一离，房子买了，想潇洒潇洒，想过日子过日子，人生多了一种选择。"

张燕:"他那天回来跟我说，他们班上又有早恋的了。"

李楠:"谁班上没有，他就爱操这个心。"

张燕:"他是爱操这种心。"

两个男的坐在一边，主动端起酒杯，张燕和李楠都没端，他们只好自己喝了。

白光又照过来，晃得大家眨眼。

10

"好啊！太好了！我叫你爸回来给你们做鱼！"

仰赖医学昌明——张燕妈依然归功于某次她求得的偏方——张燕爸能下地走路了，能走路了就常出去了。听完两人要离婚的喜讯，张燕妈高兴得很。

张燕妈:"房子看好了吗？"

张燕:"钱还没攒够呢。"

张燕说完，又补一句。

张燕:"武老师接了补习的工作，我们也有点存款，估计首付今年能攒出来。"

张燕妈："攒什么钱，钱不够跟你爸说，他死了钱还不是留给你。"

　　张燕："我爸干啥去了。"

　　张燕妈："这不腿脚好了，以前还是在手机上聊，现在出去聊去了。"

　　张燕："我爸哪有这本事，武老师，别等我爸了，你去做饭。"

　　张燕妈："对，厨房有鱼……他天天抱着手机，净看那帮追光的又去哪儿了，听那些歌，我看他不光有这本事，找的还得是个年轻的。"

　　张燕："就我爸那身体？"

　　张燕妈："能有这身体还不是我找大师给他看好的。你赶紧把他钱要过来，买房，写上自己名字，你俩也赶紧分开过，大师说了，什么都不如活着。"

　　后半段张燕妈压低了声音说的。武文学从厨房出来。

　　武文学："妈，厨房没鱼。"

　　张燕妈："没有吗，我叫人送一条。"

　　武文学："我叫吧。"

武文学用手机点了鱼，接着看文章——是一个App自己发的数据分析，统计使用了闪电离婚的人里有多少闪电复婚了。

到走也没等着张燕爸，只是用手机发来了祝贺，说了很长几段语音，没人听完。武文学和张燕吃完鱼就走了，和小陈约了下午看房，说学区房永远稀缺，早看早定。

武文学一眼看到江景。

小陈："怎么样，学区，还有这风景。"

张燕在几个房间里出出进进。

张燕："比咱们现在的房子好太多了。"

小陈："付完首付，就能入住，二手房，能砍价。"

武文学："我们一起住没人查吗？"

小陈："谁还真管呀，再说了，离婚了就不能一起住吗？张燕姐父母不就离婚了一起住。"

张燕："老墙哪儿都好，就是嘴碎。"

小陈："是我嘴碎我嘴碎。"

张燕："没事，以后我俩不也得这么过。"

武文学："你妈不是说让咱们分开。"

张燕："让你找鱼不好好找，找这种不痛快听。"

武文学："也没太不痛快。"

张燕："知道你没痛快，我快不痛快了。"

张燕说着这样的话，也没有对峙的意思，脚下不停，继续挨个房间看。武文学停在江景前，江上船来船往，涂了各种颜色，还是压不住下午的日头，难得晴天，江上泛着白光，这时要是白光来，武文学也不知道会不会把两人就此带走。

"呀！"

张燕惊呼着走过来，给武文学看她手机。

张燕："请柬哎，李楠和老墙的。"

武文学："请咱俩还不直接打电话。"

张燕："快行了，好像你是挑这种理的人似的，不请你你才高兴。"

武文学："什么时候办？"

张燕："下周就办，这李楠，想错她了，真厉害，比我爸还有本事。"

武文学："办婚礼，肯定耽误给那孩子补习。"

张燕："跟老墙结了婚，估计学校的工作都得辞了。"

11

如张燕所料，看房第二天，武文学去老墙家补习时，李楠就没来。老墙也没在家，是小陈给武文学和那孩子开的门。

后来在老墙和李楠的婚礼上，分行行长领着孩子一起来了，显然没为了这事伤和气。

那天武文学给那孩子补课，例句里有 marry，武文学顽疾难改，顺嘴造了个句子，说我们的城市，已经很久没有人结婚了，下周也许我们会参加一场婚礼。

行长孩子："李老师终于要结婚啦？"

武文学估计这一假期，这孩子数学难有进步，李楠倒是什么都说痛快了。

武文学："嗯，李老师应该不会再给你上课了。"

行长孩子："武老师，我是看您严肃，不然早想劝你别这么累了，我爸也没指望我学习提高多少，他就是有钱没处花。"

武文学："我还是要把工作做了。"

行长孩子："嗯嗯，我爸说啦，你们要攒钱买房，给小蕾妹妹留着。"

武文学又看向江景，不知该说什么。

行长孩子："你跟张燕阿姨的事我都知道，很敬佩，你们这样，比我爸和我妈那样好。"

武文学看着她从盘子里拿了个香蕉，不吃，放手里玩。

行长孩子："被白光照过，没走，还没离婚，还能一起生活，一起攒钱买房，我长大了也要像你们一样，不能跟那些人似的，那么幼稚。"

武文学："什么样是幼稚呢？"

行长孩子："就我同学那样呗，爱来爱去。武老师，我觉得你教会我的，比什么知识都重要，真心的，谢谢您，你是好老师。"

武文学没敢问，自己教会了她什么。在李楠婚礼上又看到她，远远点点头，武文学也怕她爸爸过来说些感谢辛苦之类的话，让他难受。

婚礼上还碰到了小本和派派，两人的连接不见了。

小本："最新技术，可以去掉连接，你们看，一点儿疤都没有。"

小本和派派抬起手肘给两人展示，同时还牵着手，十分恩爱。

　　派派："心与心连在一起，肉与肉也连在一起过了，下面我们的感情将进入全新阶段，恐怕是还没有人到过的阶段。"

　　小本："通过毫无连接，连在一起。我们向二位学习，也离了婚，向白光证明，什么都不需要，我们还是会一起走。"

　　武文学："我们还没离。"

　　派派："这不重要，重要的是我们都是相爱的夫妻，希望墙哥跟李楠姐也能做到。"

　　老墙和李楠上了台，老墙事先苦苦恳求，李楠才同意不在婚礼上把他求婚的过程说出来。

　　李楠："我要是不录下来，我自己都不信！"

　　几天前李楠给张燕和武文学讲了这段奇情，展示了视频。

　　李楠："骗我说出差，专门飞到了国外，跟我视频，我刚做完瑜伽出来，头发粘一脸也赶紧接了，我那两天不是心虚嘛，以为人家跟我生气了走的。"

李楠说到这儿看张燕，张燕点点头。张燕和李楠带武文学去了那家半裸饭店，还叫了一个小伙子坐在武文学身边，说是为了让他明白这地方什么过分的都没有，武文学反对了半天也无效，李楠劝他："就当是参加我单身派对。"

李楠："西装革履的，大声喊，我爱你，我要娶你。吓我一跳，旁边人都看我，我假装是看视频，赶紧关了。"

李楠边说边翻手机，旁边三个小伙子也在听。

李楠："就赶紧整了下头发，找了没人的地方，等他再打过来，我就录下来了。"

李楠举起手机，穿着西装的老墙捧着花。

老墙："我想娶你，李楠，可是我还是怕死，你跟我算过，白光是要两个人的爱加起来，合值到了就会被带走，我求婚的时候，对你的爱肯定是最大值，我估计你的值，也会比只想生孩子不想要我的时候高很多。我亏心事做得多，老天爷要整我肯定是现在整，肯定一下把我照走啊，所以我只能飞到河内，这么跟你求婚。以后我们一起过，但是不要太恩爱，还像咱们以前那个度就行，估计出不了大事，想恩爱了，我还得这样飞出来。"

李楠看着笑，笑笑又哭了哭，张燕也哭了哭，挨着武文学的小伙子也哭了哭。

李楠："那天也是这样，哭哭笑笑，我当然答应了，答应了之后特别尴尬，这通话不知道怎么结束，说呀说呀，说个没完，老墙说，这么开心的事，怎么也得在激情中结束，非要教我用那种远程做爱的东西。"

说到这里，李楠又笑了。

李楠："可方便了，半小时设备送上门，我都不知道怎么这么多人这么急。结果也没用成，送到了，他一个重要客户给他打电话，就断线了。"

李楠此刻和老墙站在台上，看表情，又要哭了，司仪念着祝福的话。

司仪："白光在上，在白光的祝福和见证下，这对勇敢的新人不畏人言，不惧将来，不怕消逝，选择走入婚姻殿堂，让我们送上掌声。"

台下人各有各的情况，武文学和张燕鼓了掌，小本和派派使劲鼓了掌，行长的孩子没鼓掌。

台上老墙神色紧张，手里拿着挚爱公仔、分手伞等工具，还特意搬了台自动离婚机放在身边，一直警惕地看着外面。之前就跟李楠商量过："真要是白光来，我为了让你不爱我可什么都做得出来，你也一定不要手下留情啊！"

倒是没人笑话老墙，今时今日，敢结婚已经强过了大部分人，司仪也是临时找的，办婚礼的少了，全职司仪都没了。

司仪："我们看到，在重重安全保护下，新郎依然吓得发抖，说明了什么，说明他真诚，他勇敢，他的勇敢不单是敢于迎娶新娘，更勇敢在他不怕暴露自己的懦弱，白光三年，我们扪心自问，有几人有新郎的勇气！……"

武文学："这人说话挺得罪人。"

张燕："得罪也得听着呀。"

小本："我倒觉得很直白，让我重新反思了和派派关系。"

"我反对！"

就是那样的场面，一个男人跌跌撞撞冲进门来，要反对一门婚事。

武文学："秦山？"

众人还没顾上调动反应，左右忽然就冲出几个人，把秦山一拖，大门又关上了。整个过程不到十秒，在喝酒的估计都没看到秦山进来。武文学想，老墙这人还是周全。

司仪："好，既然没人反对，我正式宣布，你们结为夫妻。"

大家鼓掌，婚宴开始，武文学和张燕出门去找秦山，看到他坐在大门口，也没受什么伤，小陈带着两个人在旁边看着。

武文学示意要跟他说话，小陈让了让，两口子夹着秦山，也坐到地上。

武文学："你是从那边回来的，还是就没走？"

秦山："去了那边哪有能回来的。对不住，这几年都没跟你联系。"

武文学："没事，没走的三年不联系的也一大把，哦，你就没走。"

秦山："又让你笑话了。其实昨天都跟李楠说好了，不瞎闹了，接受现实，结果今天还是没忍住，这让白光照过一回，感觉对脑子是有损伤。"

张燕："你确实让照到了，还是就是趁机消失？"

秦山："照到了，就在郊区，我跟我那个，情人，去摘樱桃，白光一照，她没了，我还在。"

张燕和武文学不说话。

秦山："我当时就找她啊，害怕，李楠给我打电话我也不敢接，我跟她说的是我出差了，可当时全市拉警报，我就跑，堵车，脑子全乱了，回了和那个情人的家，她也没在。"

秦山的情人不知是跟谁配对被照走，秦山想查明白，查不出。自己又没走，就说明他既不爱情人，也不爱李楠，或者说，是不够爱，或者说，是两人都不爱他，再或者说……这就是三年来秦山想不通的问题。他一直住在那个家里，过了头几个月就想过回来找李楠了，不知道该怎么回来。

秦山："不怕笑话，我还怀疑过李楠跟武老师有点什么，那几个月脑子坏了。"

武文学："你这三年，把能想到的坏事，都想到了吧。"

秦山："就是没想到老墙会跟她结婚，老墙哪是这种人啊。"

武文学："你观察还挺细。"

秦山："这就说明，人是看不透人的，只有白光能看透人，我就盼着白光再来一回……"

"你可盼点好的。"老墙拎着挚爱公仔和分手伞出现在三人身后，他的手下推着自助离婚机跟在后面。

老墙："你昨天找李楠，李楠就跟我说了，我今天才紧张，秦老师，你说你来抢婚，你这爱值肯定特高，我一生气一嫉妒，也得高，这白光要一来，你说咱们仨咋走，走不了又该咋办，多尴尬，你都经历一回了，就别整我了呗。"

秦山开始看到老墙还有点害怕，往后缩，听他说完，害怕又变成了惭愧。

秦山："对不住，打扰了你喜事。"

老墙："这两天我安排你们把离婚手续办了，要不我这违法，多谢你赶过来，我们结完你再活过来我可麻烦。"

秦山:"别骂我了,对不住。武老师,以后我不可能见李楠了,还能见你不。"

老墙:"李楠也不可能见你了,我走了,你们兄弟叙旧。"

武文学看着这个三年都没联系过的,他的最好的朋友,不知道有什么旧可叙。

武文学:"能见,咱俩又照不走,怕啥。"

12

婚礼少,好不容易办一次,就特别热闹。

按交情,武文学和张燕肯定要一直闹完洞房再走,但送走秦山,武文学就拉着张燕出来了。

上了车,张燕问武文学去哪儿。

武文学:"咱俩要离婚的事还没跟我妈说,也没跟小蕾说。"

张燕:"这不着急,小蕾那么聪明,一说就能懂。"

武文学:"觉得秦山挺惨的。"

张燕:"李楠也惨啊。"

武文学："没说李楠不惨。"

张燕："我看你也挺惨的，这回秦山连你的心也伤了。"

张燕从后视镜看武文学。

张燕："你说李楠爱秦山还是爱老墙。"

武文学没从后视镜看张燕。

武文学看着路。

武文学："希望白光知道。"

到了奶奶家，一开门，小蕾先说话。

小蕾："我也想跟姥姥姥爷出去玩！"

奶奶："你爸妈还让我劝你俩，你俩要不先劝劝他俩。"

张燕："去哪儿了啊？"

奶奶："你们是不是又不看群消息。"

武文学拿起手机，打开家庭群，两百多条未读里，有一个挺长的，张燕爸和张燕妈录的视频，背景是沙漠。

张燕爸："武老师，燕燕，亲家，小蕾，我俩已经到达了白光最后出现的地方，正式成为了追光者，谁劝都没用了。"

张燕妈："燕燕，武老师，你们上次来说完离婚的事走后，你爸跟我说了很多，太肉麻的我就不说了……"

张燕爸："说，追光者还怕这个，咱们不就是为了说心里话，才来这儿吹风。三年前，没一起照走，那是意外，这三年，我俩天天说我们没感情了，还劝你们离婚，爸爸心里都在流眼泪！我是怎么中的风，憋的啊。我爱你妈妈，你妈妈也爱我，从来都没改变，当年白光是看走眼了，我们要再给白光一次机会。"

张燕妈："三年前没照走，也只能说明是那一阵感情不够好，也许你们就是在车里等我俩等烦了，吵了几句，让白光误会了呢？谁能知道，不想离可千万别离，我和你爸这几年不好受。"

张燕爸："燕燕，爸爸爱你妈妈，爱你，爱小蕾。当然，对武老师也有爱。我的意思是，别害怕，白光来了一起走。"

沙漠风大，张燕爸和张燕妈又是一人一句抢着说，很多话听不清，视频后面，张燕爸又总结了自己的意思，发了文字，最后一句是："爸爸妈妈祝福你们！"

张燕看完眼圈微微湿，发了条语音到群里。

张燕："我们也祝福爸爸妈妈！"

回到车里，小蕾坐到了后排，跟着两人去闹洞房，李楠非要让孩子见识见识结婚是什么样。

张燕看着窗外，偶尔微笑。

武文学问了小蕾那个古老的问题。

武文学："小蕾，我和你妈要是真离婚了，你跟谁。"

小蕾："我肯定跟奶奶呀。"

小蕾还是不抬头，玩儿着游戏。

小蕾："奶奶说了，让我别理你们，你俩离不了。"

车向着婚礼和某种未来开去，绿的，红的，紫的，黄的，各色灯光晃过武文学和张燕的脸。

前路上目前依然没有白光。

作者注：

有天我的朋友董润年找我，说想拍这么一部电影，开头是，"突然一阵白光，会把相爱的人都带走"……

我们聊得很兴奋，他希望我来做这个电影的编剧。他自己已经写了一个发生在白光刚刚照射后的故事，而我觉得如果从白光出现三年后开始写一个故事，会有另外一种意思。这里我把我心中的版本写了出来，他的版本也在推进，我依然尽力参与其中。书出版时，电影可能已经拍好了，对比着看应该也挺好玩儿。

再次感谢董润年允许我使用他的创意发展这个故事。

狼人们

居酒屋绑匪

一个人想拥有另一个性格，是妄想中较难实现的一种。

1

居酒屋的门口，蒋派和小杜出来抽烟，两人都穿着短袖，挺冷，谁也没说。

蒋派："那俩人那根本就不是手语。"

小杜："你咋知道？"

蒋派："我学过啊，初中的时候，我们班表演节目，用手语唱《感恩的心》，傻逼不？傻逼。但我们班长好看啊，我就学了。不光《感恩的心》，我后来跟班长表白用的都是手语。"

小杜："成功了？"

蒋派："没，她没学那么多。这个傻逼。"

小杜抽口烟，回头看居酒屋的门，这小居酒屋也没窗户，看不见里边。那俩打手语的人就坐在门后，店里今天就他们这四个顾客。

小杜："如果不是手语，他俩比画啥呢？"

蒋派："不知道，俩人自创了一套手语？"

小杜："干毛用？"

蒋派："不想让别人知道说啥呗。"

小杜："如果就为这个，直接发微信不行？"

蒋派："你懂个屁，人家这叫会玩儿，手舞足蹈的，谁都能看见，谁都看不懂，没准儿人正聊喝完了去哪儿干一炮的事儿呢，结果咱们全不明白，你说爽不爽？"

小杜："如果他俩是 gay，穿得也太破了。"

蒋派："没说他俩干啊，就说商量，找谁干，去哪儿干，啥的。"

小杜："真变态，露阴癖呗。"

蒋派："没讨论变不变态，就问你爽不爽。"

小杜："如果是变态的话，挺爽的。"

蒋派："这有啥变态的，好比你就不变态，现在让你跟你女朋友在这个居酒屋里干一炮儿，我们看着，你爽不爽。"

小杜："真你妈有病。"

蒋派："你就说爽不爽。"

小杜："如果你不看，女的不是我女朋友，应该挺爽。"

蒋派："你还挺疼人儿。想他妈什么美事儿呢，谁跟你在居酒屋干，谁想看你。"

蒋派和小杜不说话了，一个胖男人冲着居酒屋走来，从他俩中间穿过，朝门挤去。男人胖得让小杜觉得，如果他不是心理有障碍，其实不需要再吃任何东西。

蒋派让胖子蹭了一下，放凉的胳膊骤然一暖。蒋派眼睛瞪起来，小杜拉他。

门一开一合，胖子挤进去，没回过头。

小杜："如果咱们今天没正事，我就不拦你了。"

蒋派："你说他是不是傻逼？个肥逼。"

小杜："是是，除了你都是傻逼。"

蒋派："你是不是讽刺我。"

小杜："你觉得爽不爽？"

蒋派："啥？"

小杜："在居酒屋干一炮儿。"

蒋派："当然他妈不爽，这不有病么。"

小杜掐了烟，摸摸腰上的枪。

小杜："进去吧。"

蒋派："你说那傻逼孩子今天肯定能来？"

小杜："不知道，让咱们等就等。如果不来，你也是有吃有喝大哥还给报销，有啥不高兴的？"

蒋派："没啥。你妈一会儿抓人的时候我非给那肥逼也来一下子，操他妈的。"

门一开一合，小杜和蒋派进去，看到刚刚的胖子坐在了吧台边，挨着他们的位子。

小杜先走一步，坐在了蒋派和胖子中间，心里想着，如果这个胖子知道自己差点挨打，肯定很感激我。

2

　　"我要去约炮了，我们赶紧喝完这杯。你们听好，我知道，当下，这个桌上有好几位我都是第一次见，我知道，我张嘴就聊约炮会给你们留下很不好的印象，说实话，我不在乎。你们，你们之中依着本心的，会想，又是这么一个傻逼，要不是想赢他钱我才不坐在这里。你们，你们之中心地善良的，会想，这傻逼真喝多了，玩儿牌喝这么多酒能不输钱吗。你们呐，我不怪你们。"

　　威仔放下酒杯，把手里的牌和筹码也扔了，站了起来。

　　"我为什么呢？我为什么张嘴闭嘴约炮呢？其实我从来不用这词儿，约炮，难听死了，这只有你们这些傻逼才会用。但我今天就要用，我还决定了，以后跟所有第一次见面的，这样的，社交的，一群傻逼的牌局上，都要用！为什么？我得说点儿不好听的，要是我都说了这么难听的话，让你们觉得我是这么一个人，往后，还愿意交往，下次，还能一起all in，那咱们才有可能交上朋友。人不可能彬彬有礼一辈子，你们，大家，说对不对。给点儿掌声啊。"

没人理他，他这一出儿，常一起打牌的朋友都看惯了，第一回来的也被嘱咐过，这人打牌爱喝酒，喝一会儿就多，喝多了就瞎说，不用理他。他的优点是牌技差，又不在乎钱，我们对他要包容。

一个熟的朋友劝："威哥，好好打牌呗。"

威仔："我都说了要去约炮，你们，能不能听别人说话？好好摄取信息？你们打吧，我一会儿回来。"

另一个朋友问："你是不遛猫去？"

威仔没反驳，看他那个被人说中、有点委屈的表情，朋友们放了心，威仔是要去遛猫。

威仔每次喝多了喜欢抱着他的猫在街上走，威仔抱着猫的时候特别有人样，不会出任何意外。

威仔抱起猫出了门，这是威仔的家，每晚朋友们都聚在这里打牌。

3

居酒屋里，假聋哑跟真聋哑穿着帽衫，运动鞋运动裤，比画着这个世界上只有三个人能看懂的手语，交流着他们对蒋派和小杜的看法。

真聋哑："我觉得那两人也是来绑人的，坐着不稳。"

假聋哑："嗯，新人。"

真聋哑："挺兴奋，老出去抽烟。"

假聋哑："都是绑那个小孩儿来的？"

真聋哑："一晚上一个居酒屋里能有几个苦主。"

假聋哑："但是一晚上一个居酒屋里就有四个绑匪了。"

假聋哑能说话，是为了跟真聋哑说话，才学了这套手语。

假聋哑："我过去跟他们沟通一下？"

真聋哑："算了，新人，难沟通。"

假聋哑："人都难沟通。"

真聋哑伸缩了一下大拇指，表示点头。假聋哑说这话就知道真聋哑会点头，所以才说的，假聋哑心里其实不这么想，他是个挺乐观的人。

假聋哑："到时候我问问要债的是谁，也帮他们要要，都不容易。"

真聋哑："都不容易，也就不用帮忙。"

假聋哑一看真聋哑这手势，手势里带着的坚定，就明白他又要说他爱说的那种话了。

真聋哑："人要先对自己负责，才能对宇宙负责。"

假聋哑故意问："没看清，你这是想说'宇宙'，还是'台灯'？"

真聋哑左手向下压右手向上抬，认真重复了一遍动作："宇宙。"

假聋哑觉得真聋哑挺可爱的，也值得尊敬。

假聋哑："没事，他俩实在不甘心，那小孩儿的猫可以让他们抱走。"

真聋哑和假聋哑笑起来，用的还是手语。

两人笑着，桌上手机响，假聋哑左手继续笑，右手拿起了电话，看了一眼，两手都不笑了。

假聋哑："是大哥。"

真聋哑："你接，我不想理他。"

真聋哑拿起一本旧书看，自己套了封皮，封皮也旧了，是小虎队的海报，里面不知道是什么书。

4

威仔抱着猫在路上思考一些深刻的问题。

猫有没有头发？猫这一身到哪儿算它的头发？头发，就是长在头上的毛发，那鼻毛是不是头发？

路上有野猫跑过去，看威仔怀里的猫，猫没看野猫。威仔的猫叫崽子，威仔很喜欢崽子这种性格。

崽子是威仔从街上捡的，附近还有五六只，威仔就捡了崽子，就因为崽子不理威仔。

抱回家，崽子也不理威仔约来的那些姑娘、那些朋友，也不理偶尔来的威仔他爸。

威仔他爸好久没见威仔了，威仔也不想见他。

威仔并没有崽子的性格，但威仔想试试。

一个人想拥有另一个性格，是妄想中较难实现的一种。

   5

蒋派："我操我操，你看那傻逼干吗呢？"

小杜看过去，是假聋哑把电话举着，真聋哑冲着电话打那套手语，在跟什么人视频通话，越打越急的样子，一只手还挥着一本书，扇起来自上个世纪的风。

蒋派："真行，这俩聋哑人要起飞。"

旁边那胖子插话了，胖子谢顶，剩下不多的头发特别油，脸上也全是油，还吃着烤鸡皮，一说话肉就往一起凑，没笑也像笑。

胖子："我看见举电话那个刚对着电话说话了，不是聋哑人。比画的这个应该是。"

蒋派："跟你说话了么，插什么嘴？"

胖子脸肉一挤："兄弟这么大火气。"

小杜打算继续救救胖子。

小杜："我朋友没什么礼貌，您别介意。"

蒋派："你介意吗？介意就出来干一架。"

胖子："大哥，我认个错，别打行不，心脏不好，容易死。"

胖子这么回答，闪了蒋派一下。

胖子："大哥，要不你看这样，我给你鞠一躬。"

胖子说着就站起来鞠了一躬，又闪了蒋派一下。

蒋派还没想好怎么下这个台阶，胖子又把台阶撤了。

胖子："哥，你这要是还不行，我只能跟你打一架了，我真有心脏病。"

蒋派："操你妈的，你还要讹我啊？"

胖子："哥你这话说的，讹你就不告诉你我有病了。"

胖子拿出一瓶速效救心丸给蒋派看。

胖子："你看，真有病，这都吃了半瓶了。"

小杜被这句"吃了半瓶了"逗乐，蒋派也乐了，说了声"操"，下了台阶。

胖子也嘿嘿笑，坐下，看见小杜手机上挂了一串儿嘀里嘟噜的链子，亮粉粉。

胖子："哥，这是你的？"

小杜没说话，蒋派彻底大笑起来。

蒋派："你是不也觉得特傻逼？特土？这他女朋友给他挂的，不让摘，个怂逼也不敢摘。"

胖子："哦哦，女朋友送的啊，这我跟你要也挺不合适的，哥，这你能卖我不？"

小杜："如果我卖给你，你拿它干啥？"

胖子："我闺女能喜欢，我平时也没时间给她买这些，我这情况，也不知道还能见她几面了。哥你说多少钱？"

小杜看看蒋派，蒋派也没话说，两人不笑了。

小杜："如果你能请我喝杯酒，就送你了。"

蒋派："嗯，我也要一杯。"

6

威仔抱着猫，决定去每晚都会去的居酒屋坐一会儿，那里的老板跟威仔很熟，崽子可以坐在吧台上一起吃鱼。

　　威仔想，要改变性格，是否可以从也坐在吧台上吃鱼开始。

　　　7

　　假聋哑："大哥跟你说啥？"

　　真聋哑："还是啰唆。说咱们得多为公司发展考虑，别搞小团体，让咱俩多带新人。"

　　假聋哑："还嘱咐啥？"

　　真聋哑："不想听，挂了。"

　　说着假聋哑电话又响了。

　　真聋哑："不接，不想跟他说话，胳膊疼。"

　　假聋哑就把电话按了。

　　假聋哑："我去结账，等下抓了人就直接走，不结账不合适。"

　　假聋哑走过去递名片，让老板按着抬头开个发票。

　　老板："不好意思啊，今天就剩最后一张发票了，这两位先喊的，你看……"

假聋哑看向蒋派和小杜。

假聋哑："他们吃了多少钱？"

蒋派和小杜，包括胖子都看着假聋哑，老板两边看看。

老板："三百四。"

假聋哑："我俩是四百六，开给我们吧。"

小杜："老板，如果把这个胖子的跟我俩算一起，多少钱？"

胖子："哥，不用。"

小杜："老板算一下。"

老板："四百一。"

假聋哑看小杜，蒋派不干了。

蒋派："操这你妈什么逻辑，你还跟他算，这不是钱多钱少的事儿啊，干你信不信。"

蒋派猛站起身，不知道什么时候真聋哑已经贴过来，枪顶在了蒋派的腰上。小杜还没伸手拔枪，假聋哑的枪已经顶在了他脑门儿上。

真聋哑做了几个手势，假聋哑翻译给他俩听。

假聋哑："我们也是来绑人的，那个欠债的他们家儿子，抱个猫。你们是不是也绑他。"

小杜和蒋派没说话。

假聋哑："人我俩一定要绑走，他爸欠的钱，我们都会帮忙要。你们是谁派来的？"

蒋派："操，用你管？还你妈你们要绑走，凭啥，就凭你们有露阴癖啊？"

真聋哑问假聋哑蒋派说什么，假聋哑比画给他看，真聋哑回了一些手势。

假聋哑："一会儿还有正事，现在杀了你俩，这个老板和胖子我们就也得杀，太麻烦。不杀你们。我们打一架，输了的要服气。"

蒋派："来来来。"

小杜："如果打架的话，枪怎么办。老板，你看一下？"

老板在一旁已经吓懵。

胖子说话。

胖子："我看着，行不行？"

四人把枪给了胖子，站开了。

蒋派很兴奋，小杜很紧张。

小杜预感，如果没奇迹的话，这架赢不了。

8

威仔抱着猫走近居酒屋，伸手开门，一只手抓住他的手，出示了警官证。

警察："别进去，危险。"

威仔抱着猫回头一看，好多人围上来，应该都是警察。

另一个警察："我们抓绑匪，你赶紧走吧。"

威仔低头看看崽子，崽子没任何反应，一点儿都不为今晚吃不上多春鱼感到难受。

威仔觉得自己理应像崽子一样洒脱，决定以后不再在牌桌儿上那样说话了。

也可以不打牌了，跟那些人没必要交朋友。

跟谁都没必要。

威仔换了只手抱崽子，往回走了。

9

蒋派和小杜已经倒在地上，真聋哑从始至终没动过手。

假聋哑踩着小杜，准备说两句什么，门开了，一群警察冲进来。

警察："别动！不许动！"

四个人没动，真聋哑看着吧台上的枪，后悔把它交了出去。

警察："站起来！"

小杜和蒋派慢慢往起爬。

警察又喊，"说你呢！快点！"

胖子站了起来。

警察："慢慢走过来！别挣扎，你的同伙我们已经抓了，孩子我们已经救走了！"

胖子慢慢走过去。

胖子："不挣扎。"

警察冲上来给胖子戴上手铐，另一个警察过去拿吧台上的枪，蒋派小杜真聋哑假聋哑一动不动。

警察："你出门带四把枪？"

胖子："嗯，人胖，兜儿多。"

警察环视店里。

警察："这四个人你认识？"

胖子："不认识，喝多了打架。我看着不顺眼，正掏枪要干他们。"

警察："别狂！"

胖子："没狂。警察，我左兜里有个小东西，想送给那女孩儿的，你们既然救走了，代劳一下？"

警察看着胖子，想说什么，被胖子一堆肉里两颗眼睛一盯，又说不出来了。伸手从胖子衣兜里拿出个亮粉粉的手机链。

警察想扔到地上，以示自己并不受胖子的胁迫，并不怕胖子的眼神。

终究是没敢。

10

警察都走了以后，四个人坐在吧台边，没话可讲。

老板吓得够呛，但再害怕，该打烊还是要打烊。

老板："要不，我还是先给这二位把发票开了，人家毕竟先买单，您二位留个地址，我把发票给你们寄过去？"

假聋哑跟蒋派小杜互相看看，都点了点头。实在没话可讲。

老板拿着小杜和假聋哑给的名片往收银机走，又走回来。

老板："四位，这个，你们给的这名片，抬头一样啊。"

四人都抬起头，假聋哑把老板的话翻译给了真聋哑。

真聋哑："带新人。你妈的。"

假聋哑把情况告诉蒋派和小杜。

蒋派："我操，大哥提前不说啊？"

假聋哑："大哥话多，很多事说着说着就漏了。"

小杜："如果我没看错，大哥刚来电话是想说来着吧。"

假聋哑："嗯，他不听。"

假聋哑看向真聋哑，真聋哑把书装进口袋，恶狠狠比画一阵，向门外走了。

小杜："说什么？"

假聋哑："说发票开一起，你们拿去报。他不愿意跟大哥说话。"

假聋哑说完，叹口气。

假聋哑："这手语还是大哥发明的，就为了跟他说话。"

假聋哑拿起胖子剩的啤酒喝了一口。

假聋哑："我学这个，也是为了跟他说话。他原来挺爱说话的，变成聋哑人以后越来越不爱说了。"

假聋哑看看蒋派和小杜。

假聋哑："你俩学不学？"

小杜和蒋派点点头。

假聋哑做了套手势："这是台灯。"

又稍微变化了一点："这是宇宙。"

逃逸

咱俩不认识，我啥都不知道。快走吧，
我劝你是往回开，不往回，你也快走吧。

雪天，市政部门在路上撒了煤渣子防滑，冬天鞋底纹多，走这样的路，回家雪化了，地上都是黑汤。

好在我是开车，张国想。

张国开车慎重，这个城市人人都有朋友认识交警，如果今晚你要喝酒，你就去人人都有的"夜查信息交流群"里问，今天查不查？不查就放心喝，喝完慢点开。

这个城市不可能天天都夜查，交警也需要喝酒。

雪天就更是。

今天是雪天，雪天路滑，车刹不住，人呢，不是赶着去喝，就是喝完了出来。这样的路上，撒再多煤渣子也没用。

好在现在十一点多了，车少了，该去医院的也都去了，张国想。

张国没喝酒，张国去接老婆，老婆喝酒了。说是同学给送，张国知道这种局上不可能有人没喝，不可能有人"我就喝一杯都别劝啊"，所以就去接。

他们在城西新开的KTV，小雪还在飘，积雪白天化过，现在结了冰，这种路最难开。张国决定不管老婆喝成什么样，那帮人开什么玩笑，都不生气。怎么劝，怎么拉扯，怎么说张国不够意思、不是男人，"配不上我们老悦"，自己也不会留下喝一杯。

左拐，穿一条小路，再走俩灯，就到了。这条路长年没走了，以前上学他就走这条路，没啥人，打劫的也不上这儿来，张国还在砖墙上写过字，骂的是谁爱的是谁，记不大清了。

小路里没灯，没店，有月亮，张国车速慢，经过砖墙，想看看自己当年写字儿的地方，字儿肯定是早没了。张国想到"刻舟求剑"，觉得刻舟那人挺有诗意。

张国看着墙，大概快到刻舟处时，吮，赶紧往前看，不知哪儿来的车，撞了。张国想，真是本能反应，撞都撞了，刚刚何必"赶紧"。

原来小路里多出个小丁字路口，这车是从旁拐过来，张国撞上了人家的侧面。真是太多年没来了。

车速慢，应该没大事，张国下车，调整成惊慌失措的脸，准备好了承担全责。

张国："您没事儿吧？"

车里只有司机，是个女的，看前面，又看张国，发愣。

张国走近车门。

女人伏在方向盘上，哭了。

张国敲车窗："你没事儿吧？碰着了吗？"

不可能，那么慢的车速。

这车没灭火儿，张国才发现，她也没开车灯。

女人坐起来，看一眼张国，挂了挡，开始倒车。

张国往后躲，自己车头还贴着她的车，车一倒，金属摩擦，倒车镜挂掉，张国看着想，路窄，她想按原来的方向开走，还得再调两把。

女人不动了，开了车门下来。

女人："就这样吧。"

张国："你没撞着吧？"

女人："就是报应。"

张国往近走两步，想闻闻有没有酒气。

张国："不好意思啊，这肯定是我全责，你刚倒这个也没事儿。"

女人："我不跑了，你报警吧。"

没酒味儿，女人看着比自己年长一点，很胖，壮实，穿着毛衣，是这个城市、这个岁数的女人标准的身材，标准的打扮，标准的脸。

张国："我看车也没大事儿，人也没事儿就别报警了，保险公司赔就行，我赔。"

女人："不是车的事儿，人的事儿。"

张国没插上嘴，女人又扶着车流下眼泪。

女人："命的事儿。"

张国："大姐，你咋了？没喝酒吧？"

女人："我把李兴城杀了，刚杀的，我男人。"

女人说这句时不哭了，表情一停，看张国，张国觉得飘着的小雪都一停。

女人："就在我后备厢里。"

张国往后备厢看去，黑色车身反着月光，亮，没撞着后面，是一个完整的车尾，跟街上那些没装死人的车尾一个样。

女人坐地上哭："他说要走……"

张国蹲在了地上："大姐，你小点儿声。"

女人小了声："说明天就离开咱们这儿，跟谁走也不说，说我管不着，房子啥都留给我，就要走。"

张国掏出烟点上，看看女的，女的伸手，张国把点好的给她，自己又掏了一支。他刚下车时熄了火儿，两人蹲在两车之间，没有灯，烟飘出车的阴影在月光下一抖，就散了。

女人："好话说尽了，孩子是上大学去了，那我父母不打个招呼？这么多年没感情？他说以后再说，就要走，撕吧起来，摔了，我家大理石茶几，他非要买的，就死了。"

女人又哭起来，烟还有半支就按在了雪地里，张国又递上一支，钻来一阵风，点了两三次。

张国："你是打算去哪儿。"

女人："我不知道，我就想着往城外开，我刚出来。让你撞了，我觉得就算了，就是该着，开出来就是为了让你撞上，大哥，你报警吧。"

张国站起来，往前看，往后看，没有人，没有车，没有一个亮着灯的人家，张国又蹲下。

张国："你儿子哪年上的学？"

女人："今年。"

张国："过失杀人，加上自首，我看你家也有钱，找找人，等你儿子大学毕业，你咋也出来了。可能都不用进去。"

女人又把烟掐了，张国没再给她。

张国："车也没咋坏，用我帮你调头不？"

女人："大哥。"

张国："别大哥了，咱俩不认识，我啥都不知道。

快走吧，我劝你是往回开，不往回，你也快走吧。"

女人上了车，点火，张国摇摇手，示意等等。他走两步，蹲下，把撞掉的倒车镜捡起来，女人按下车窗，接过去。

女人："大哥，谢谢。"

张国退两步，她打开车灯，调了一把，就按刚要走的方向开走了。驾驶技术比张国想的强。

张国看看自己的车头，保险杠轻微变形，没有大碍，张国一直就觉得保险杠得撞过才好看。

张国往车侧的墙边走去，走近才看出来，重新砌过，舟也不是当年的舟了。

张国开车门，把脚伸出车外磕了半天，希望回家不要化出黑汤。小路其实没撒煤渣，上车磕鞋是好习惯。

看眼手机，没电话，没微信，十一点四十，老婆也没等得着急。

从这条路出去再走俩灯就能到，沿途也再没有什么值得注意的风景。

现代人标本

我们的时代还没过去，就也陈列在了这里。
自大又凄惨。

这不是我第一次逛自然博物馆，我总来，可我还没见过有人会像我一样盯着这副人体骨骼看这么半天的。

大家最爱看的是恐龙，特别是那个会动的暴龙，一动还总有人尖叫，还不全是小孩儿。相信谁都见过这种人，就是看电影会鼓掌，发语音会变个调，看别人求婚她哭得比当事人还凶的那种人。就是哪儿都得有她，不能落下。叫得比小孩儿认真多了，暴龙要是真能动，肯定先吃她。

其次是《宇宙大爆炸》4D电影，其实就是椅子会动，也不知道现在的人什么语言习惯，怎么就4D了，那我看电影，边看边打那些鼓掌的，对挨打的来说是不是也是4D电影啊？

还有就是一些远古猛兽的复原，现在已经消失了的，剑齿虎猛犸象什么的，动画片里常见，没意思。

我就爱看骨头架子、碎片，有种动物叫雷兽，只有部分头骨，长得像看庙门的金刚。还有骨头跟长颈鹿一样，但长着尖牙的，帅。我最爱看的，是人的骨架。

这个自然博物馆里只有一副人的骨架，标牌写着，"现代人"。我爱看它是喜欢揣测它的故事，远古的化石，复原的标本，都有过它们的时代，如今它们跟时代一起过去了。我们的时代还没过去，就也陈列在了这里。自大又凄惨。

那她是为什么看呢？

我走近了一点，表情严肃起来，在想该怎么跟她搭上话。她年纪不大，可能是高中生，这让我觉得更有趣了，戴着眼镜，长得不漂亮，还有男孩子气。不像爱说话的人。

我："没想到他们会用这么新的骨头。"

她看我。

我："我还以为他们会用一副化石呢，现代人诞生也有十万年了吧，中国现代人出土也不少。"

她："还没有定论，也有说二十万年的。"

我："呦，看来你还真是挺懂，我常来这里看，第一次见到也有人喜欢看它的，你是学这方面的？"

她："我是第一次来，这是我爸爸。"

我猜了那么久，全错。

我："啊，这是……"

她："我爸捐献了遗体，癌症，去年走的。"

我："不好意思。"

她："没事。"

她说着扭过去，看着展柜里的骨架，我从玻璃反光上能看到她不够成熟的脸。

她："我爸这人就这样，总想做大事，做贡献，为大事做贡献，总说当老师是他最好的选择，是为人类未来使劲。小时候常常晚回家，去别人家家访，家长们都喜欢我爸，觉得这老师负责，孩子们都不喜欢他。我妈也是。"

我挺高兴的。与所有标本不同，这具标本的解说词来自它的直系后代。

她："他得病可能就是累着了吧，真不是作文里写的，我爸真是深夜批改作业，老为了这跟我妈吵架。在我爸他们学校上学的时候，老有他们班上的孩子找我麻烦，管我叫小老贾。我爸姓贾，他们背后叫他老贾。我爸也知道，还挺高兴的，他希望能跟同学们打成一片，就那种很年轻的感觉，他想让大家当面叫他老贾，但没人叫，没人想跟他打成一片。他们只会当面叫我小老贾。"

我觉得我应该不必说话。

她："后来我初中毕业了，就没那么多麻烦了。我住了校，我爸还是忙到很晚。有天晚上十一点多，我妈给我发微信，说她想跟我爸离婚。没过两天说让我回趟家，有事。我以为这回真要离了，那天还特意穿了校服，把耳环都摘了，想显得沮丧一点。到家我爸我妈两个泪人，跟我说，我爸得癌症了，晚期。我想了想，说不上有没有比他俩离婚还沮丧。"

头发遮着，看不出她现在戴没戴耳环，应该是没戴。

她："说就有一年好活了，到最后还会昏迷，植物人。争了半天，我爸不让我休学，最后还是我妈说，孩子从小你也没好好陪过，她陪陪你不行啊？"

她头低了低，看向标本的腿。

"开始我爸特乐观，早早就签好了遗体捐赠书。还是那一套，社会，国家，人类，都等着他回馈。很快我爸就站不起来了，我就推着他院里晒晒太阳，跟个小孩交上朋友了，也挺怪，健康的时候没有小孩喜欢他。那孩子也是绝症，说就想回学校念书，这话一说，我爸眼泪就下来了。跟孩子说，以后叫我贾老师。没学几天，孩子就走了。我爸从那时候起就不爱说话了，也没那么乐观了。"

我也看标本的腿，看不出残疾，应该是肌肉的问题，我也不想打断她问具体是什么癌症。

她："到躺床上不能动的时候，来了几个人，先跟我妈聊的，就是说这个事。说新建了自然博物馆，想要一副人骨标本，按说这也没必要非得用新的，用也不需要打招呼，协议都签了，但办这事的人孩子以前是我爸学生，我爸去他们家家访过好些回，跟这个叔叔聊过学习以外的事，碰撞过世界观，互相加了微信。按他说，贾老师的格局，当世罕见，我在朋友圈看见贾老师发自己的捐赠书了，又赶上这么个事，我就想了，还有谁比贾老师合适？"

我听到她说"新的"的时候，声音小了一下，打乱了她平稳的叙述。

她："我妈不喜欢这个叔叔，可能他跟我爸挺像？但这事我妈也不反对，就让他去跟我爸聊，我爸当然是同意了。那人又说了很多敬佩的话，留下了眼泪和一些钱，才走的。那天我爸心情也没有好转，我还以为他会特高兴呢。当时想到有一天会在博物馆里看到我爸的骨架，我不知道是什么心情，该用什么表情，我一直没想好，就一直没来，今天来了，好像还是不知道。"

确实，她一直没有表情，也没有什么语调。我怀疑这些话她脑子里过过好久了，只是没找到合适的机会倾诉。确实，也没有比站在这具标本面前更合适的机会了。

她："那个叔叔走了三四天之后吧，我爸就昏迷了，医生说，直到去世应该也不会再醒过来了。这时候陪他也没什么意义，我妈也不怎么来了，我觉得我妈是解脱了，她真的不爱我爸。我也很少去了，就是有天下午坐公交，忽然想起了小时候我爸领我，我还坐在过他腿上。那天晚上我去看他，我没出声，也没碰他，他忽然醒了，现在知道，应该是回光返照。声音是小，但我听见他跟我说什么了，他说，你叫人来，我不捐了，那个协议，我要毁了。"

她说到这里时盯着标本的眼睛。

"我爸说了很多话，情绪很激动，他的表情我忘不了，比跟我妈吵架的时候还凶。他说我贡献了一辈子，怎么就我得绝症，凭什么？我的眼睛我的肾，谁配得上？谁有我活得认真，谁有我对得起活着？还要把我做成标本，操他妈！沈玉涛的家长，跟他那个儿子一样，能装！操！两句便宜话，要把我挂起来，要让我不能入土？操！你去给爸叫人，我不捐了！"

　　她说这些时声音还是很低，但我依稀能在她脸上看到她爸的表情。她回过头来，看着我。

　　"他是当晚死的。我没叫人。他活该。"

　　我"啊"了一声，尖声尖气，就像那些对着恐龙喊的女人一样。

　　那是我最后一次去看"现代人"。

没有狗在叫

生活已经那么难了，生活还能更难。

1

校长在九公里末尾开了个旅店，碱矿这两年没什么外人来，偶尔有都住校长这儿，因为矿上就这一个旅店。

"九公里"是说你在草原上沿着公路开，能看到碱矿的入口标牌，大小就如中国各地所有大牌子那样，只是上面没有领导人照片，没写最新政策口号，多年来都是一行逐年破损的大字——"查干诺尔碱矿欢迎你"，大字背景是蓝天白云和一个厂房，大字下面一个红色箭头，沿着红色箭头开到矿上，还要九公里。

校长不当校长以后，开了这个旅店，旅店叫塞上客栈，今天塞上客栈来了两个人，长得像一个人，是对双胞胎。

双胞胎一个开悍马，一个开路虎，沿着九公里开过来，草原上地平，校长坐在门口早早就看见了他们的车。九公里原本是柏油路，年久失修，又常过大车，路面翻江倒海，已经成了土路，尘土中两辆车压过来，车身反光老远就晃眼。碱矿不光多年不见这么好的车，也多年没见过车这么干净了。

都胖，都高，都是寸头，都戴着墨镜，从他们征服世界的车里出来都不用踩踏板。

感觉不到四十，可身上的年轻又像是四十多岁的人所理解的年轻。

下车动作一致，左脚落地，黑布鞋踩稳了，往外挪两下屁股，右脚出来，摔上车门，提提裤子，甩着肚子朝旅店走过来，没走两步裤子就又掉回原来的水位。

打扮一模一样，脖子上有串儿，手上有表，四下看看，都朝土里吐了痰。

本地只有一所小学，校长作为唯一的校长，谁见了都客客气气的，你没有孩子，你家亲戚朋友总有孩子，校长不自觉就有了威仪。见了这两兄弟，威仪收了，换了去教育厅开会的礼仪，笑容从下巴往上蹭，蹭得嘴里多了斟酌，差点脱口而出"两位领导"。

校长："两位老板，头回来碱矿吧。"

两人点点头，没笑，眼珠直愣愣，像泡过酒精。

登记身份证，一个叫付炬，一个叫付焕，生日是同一天，不知道谁是哥哥谁是弟弟。

付炬食指点一下自己的身份证，中指点一下付焕的，点完慢慢抬起这两根手指，付炬没抬头，校长明白是要两间房。

付炬转头看付焕，付焕刚刚点好烟，上前一步，嘬了一口，问校长。

付焕："房间安静不。"

校长："安静，穷地方都安静。矿上这两年不行了，碱都要挖完了，都是下午才开始上班，特别安静。"

校长看到二人姓付，反应过来这两人眉眼跟付老狗有点像，凶，看不出多少情绪。不知道是不是什么亲戚。

想到付老狗，校长赶紧说一句。

校长："就是晚上一楼有打麻将的，我到时候让他们小声。"

付焕："没事，我们也打。"

叫付炬的进来一句话没说过，有话想说了就看付焕，校长猜，不管是谁先从娘肚子里爬出来，这个付炬都是哥哥。

校长："那我估计没人敢跟你们打。"

校长说完哈哈笑两声，以示这是玩笑。付炬抬了头，看向校长，他盯上校长的眼睛，校长就不笑了。校长感觉被老虎看了一眼。

校长以前听人说过，林子里老虎都有自己的领地，你误闯进去，身上就会不舒服，老虎远远靠近你，还没看见，你就不能动弹，等老虎出来，看你一眼，你就瘫在地上，只能等死。

校长当时还不信。

2

付老狗本名叫付存武，在矿上开了个莜面骨头馆。矿上饭馆很少，莜面骨头馆生意也并没有因此变得多好。就是因为生意不好，所以饭馆才很少。

碱快挖完了，人就都往外走，留下的只有老人、毒鬼、酒腻子，和他们不幸的老婆。付老狗不吸毒，不喝酒，今年五十三岁，没有老婆。他不是本地人，可心知肚明自己会老死在这里。

付存武成了付老狗，是因为他多年来喂野狗的习惯。以前每天晚饭结束，他收拾剩骨头，放到门口，几乎全矿野狗都会来。几十条狗聚在骨头馆门口，有爱喝酒的客人走得慢了，就出不去，得老付亲自跟狗群商量，再送出去。

客人们嫌饭馆门口经常聚一群狗不卫生，付老狗煮的骨头又实在好吃，再说矿上也没几个别家饭馆，没办法，只能一起求他别让狗聚过来。

付老狗为人说不上和善，也不跟谁冲突，就是没话，长得又高又胖，五十三是五十三，可谁也没有欺负他的念头。客人们好说歹说，付老狗不言语，就说了一句："这些狗没人管都是个死，人就别跟狗争了。"

这话难听，当场一个酒鬼拎着瓶子就站起来，付老狗没动，看他，酒鬼发个狠，把酒瓶摔在了自己脑袋上。骨头馆就两个桌，碱矿吃饭没有不喝酒的，酒鬼抹抹脸上的酒，看别人，其他酒鬼也站起来，找了瓶子摔在自己头上。还有一个喝多了拿错的，在头上摔了一瓶醋。一时场面悲壮，狗听到声响都站起来往里看，不看别人，就看付老狗。

付老狗冲狗群摆摆手，狗重新趴下，付老狗冲酒鬼们摆摆手，人重新坐下。

付老狗："行，以后不在门口喂了。"

从那天以后，付老狗每天晚饭结束，会拎着一大袋骨头在街上走，狗慢慢跟上来，付老狗就丢一个骨头出去。

矿上人越来越少，垃圾越来越少，狗就越来越少，数量稳定在三十条上下，每条狗他都给起了名，这些名字别人根本不关心，只有他和狗知道。

付老狗晚上拎着一袋骨头，一路走一路丢，狗跟上来，又离开，到最后往往只剩他一个人。他有时去后山转转，去水库坐坐，大部分时候是去塞上客栈打麻将。

塞上客栈住店客人不多，主要收入来自麻将馆。两层楼，二楼四间标间，一楼是麻将馆，分里外屋。外屋三桌，多是矿上老人打，打得小，但刺激不小，因为谁都没钱，又都爱玩儿，常有输急的，说再也不跟你们玩儿了。没两天就又坐在一桌上，就这么几个人，不跟他玩儿，还能跟谁玩儿？

里屋就一桌，未必是麻将，通常是大赌局，来里屋的一般不是本地人。

教育厅在旗（内蒙古行政区划单位，相当于县）里，旗政府所在地离碱矿开车也就一个小时，校长去旗里开完会，总要喝喝酒，又有很多老同学在旗里，再不爱聚，也总会聚聚。有老同学好赌，跟校长抱怨旗里抓得严，瘾得不行。校长说："来我们碱矿玩儿啊，碱矿知道不，小澳门！沙尘暴吹上，手把肉吃上，骰子扔上，我就跟你这么说吧，你在我们学校操场上支桌子都没人管！"

当然不能真坐操场上，可老同学话听进去了，就常拉着赌友们开车来塞上客栈赌。后来老同学赌得狠了，倾家荡产，在教育厅自己办公室里上吊自杀了。

但塞上客栈名头已响，赌徒之间传一传，有几个固定局头儿跟校长联系，一般来了就是连赌两三天，没有白天黑夜，没人睡觉，有的人从里面出来，来时开的车就已经不是自己的了。

赌徒不都是有钱人，就是好赌，有收羊皮的，开大车的，一年也能攒下三四十万，经局头儿引来，有时候一晚上就输完了。车输出去了，还走不了，得等赢了钱的玩儿够了，把自己带走。有时候等着等着，车能在塞上客栈里倒好几手。

付焕跟校长说，就是知道有这么个塞上小澳门才来的，今天晚上就想赌。

一般没有这样自己来的，都是局头儿跟校长定时间，校长不敢直接认识这些赌徒，攒局的钱，局头儿挣一大笔，校长挣一小点儿。看着也眼红，眼红也不敢。

校长："就你们兄弟俩，不成局啊，你们不是亲兄弟吗？"

付焕："麻将真不让我们打？"

校长："两位老板，你晚上看了就知道了，一帮老逼头子，一块两块的，不是不打，是没法跟你们打啊。"

付炬还是不说话，看付焕。校长估计付焕也不是爱说话的人，可兄弟俩总得有一个说话。

付焕说："那你就开里屋，我们俩赌，平时你收多少台费我们照给。"

校长忙说："不用不用，就你们兄弟俩还收什么台费，你们愿意坐屋里喝会儿茶也行，我给你们把电视搬进来。"

校长答话不自觉都看付炬。付炬点了头，校长再看付焕，付焕也点了头，校长就把里屋开了，热了水，泡了茶。

外屋很快支起了一桌，还有三个扒眼儿的，三个人刚催校长说要不你搭把手，就听见外面有狗叫。校长说："行了，不用我，付老狗来了。"

校长说付老狗名字时，往里屋看了一眼，里屋门半掩，兄弟俩在掷骰子比大小，一把一百，桌上一堆钱扔来扔去。没人抬头往外看。

校长越看越觉得两个人跟付老狗像，付焕像付老狗说话的样子，付炬像付老狗不说话的样子。

付老狗进来，招呼两声，牌码起来，里屋门开，兄弟俩出来。

两人看着付老狗，付老狗也看着两人，三个人互相看着看着，不光是脸，连脸上神态都一样了，困惑又难以置信。

付炬终于开口说话，碱矿上第一回听到了付炬的声音。

付炬："付存武？"

付老狗："是。"

付炬："我叫付炬，他叫付焕，这俩名字是你起的吧。"

付老狗硬在椅子上，手扶在牌上拿不下来。

付老狗："你们都这么大了。"

刚说完，一个凳子拍在付老狗头上，是付焕砸的。

付焕："操你妈！找了你二十年！"

3

双胞胎绑架案，在当年是个大案，官方报纸大肆宣扬报道，成功破获，两个孩子完好回家，歹徒公审后枪毙，是当地九六年严打重要成绩。唯一的遗留问题是：

孩子爸爸失踪了。

这一细节在官方报道里没有提及，当年办案领导跟付存武老婆说："组织上会帮你找找，但这说到底不涉及违法了，对不对？这是你们的家务事，你不要哭闹，要懂法，孩子都给你找回来了，对不对？你自己也要想想嘛，自己的爱人，为什么会说走就走呢？对不对？"

付存武老婆死活想不出他为什么会走。在此后二十年里，付存武老婆想起这位领导的话就一阵难受，有时候想打死这个领导，有时候想打死自己。最想打死的，还是付存武。

劫匪当时留下字条，要五十万，不许报警，写了收钱地点和时间。付存武夫妇没报警，卖了开了几年的大车，加上存款，亲戚借钱，一共凑了二十多万，由付存武拎上。临走前付存武老婆说："你可千万把孩子带回来，你自己也注意安全，别死啊。"

付存武说："嗯。"

付存武当晚没有回来。

付焕："你知道后来咋回事么？"

付老狗："我看了报道，没提我。"

付焕:"我问你知不知道我妈后来咋过的?"

付老狗:"不知道。"

付焕又想动手,付炬看了他一眼,忍住了。父子三人已经从塞上客栈出来,校长给找了块毛巾,付老狗捂着头,三人往药店走。矿上医院还是有的,虽然减产了,事故没减,常有工人被机器砸伤。可付老狗坚持不去医院,说买点红药水抹抹就行。

付焕打完付老狗,校长从后面给了付焕一拳,还喊了一嗓子:"怎么打人!帮忙啊!"打牌的老头儿们都没动。校长本来就怕,看没人动,不敢再打第二拳,可已经出了一拳,校长这么多年只打过学生,没打过架,不知道下一步该怎么办。是付炬解了校长的围,他拉开付焕,冲校长说:"给他找块毛巾捂上。"

校长是想跟着一起来着,让付炬看了一眼,就回去了,鼓起最后勇气喊了一声:"老付,有事打我手机,我不关机!"

当天从付存武拎着钱出去到付存武老婆报警,过了四个小时。他老婆边说边哭,警察又费了一个小时才终于听明白,是俩儿子被绑架,爱人去交钱,结果也没回来。

老婆哭："是不是都出事了啊，警察同志，你可得做主啊，一家三个男人都没了，一天啊，早上还都在啊。"

"同志，你先别哭了，我去请示下领导。"警察收起笔录本，语重心长又说了一句，"下次再有这种事你可早报案啊！"

付存武当年生活的城市距离碱矿三百公里，也不是大城市，从没出过绑架小孩的案子，领导高度重视，组织专案人员，等人员调配清楚，信息整合完毕，已经凌晨一点，专案组经过集体讨论，群策群力，决定实施的第一步行动是去劫匪给的地址看看。

去了一看，绑匪跟两个孩子还在那儿等付存武。

付焕："绑我们那个哥们儿也是个实诚人，当买卖做呢，还跟我俩说，小朋友别着急，叔叔实在穷得不行了，说是五十万，你爸一会儿拿来多少钱我都把你俩放了。"

绑匪就跟两个孩子在路边等，怎么等都不来，就领着双胞胎去吃了个饸烙面。吃完回来还没来，兄弟俩喊饿，就又去吃了烤串儿，等再回来，警察就来了。

绑匪被抓的时候说："赔了赔了，我就知道我干不了这个买卖，赔了，这辈子都赔进去了。"

警察审了审，知道绑匪跟付存武毫无关系，不是同伙，也没见过付存武来。兄弟俩并没因为绑架受多少惊吓，是后来报纸轮番采访才让俩孩子意识到自己经历了什么。在那一年里，付炬付焕常常做噩梦惊醒，一个总问妈妈："又有记者叔叔来了吗？"另一个总问的是："我爸啥时候回来？"

付焕："那哥们儿最后给毙了，新闻报纸一直在家里茶几玻璃下压着，我妈老念叨，他死了，你爸不回来，他死了有啥用。"

碱矿只有一条主路，连着九公里，碱矿里也只有这条路是柏油路。父子三人走在刚刚入夜的碱矿街头，一群狗跟在后面，付老狗轮流叫着名字哄了一圈，它们才不再冲兄弟俩咬。

路上人不多，偶尔有坐在路边喝啤酒的，认识付老狗的就喊一句："老付去哪啊？"付老狗应答两句，也就没人再管闲事了。

付焕："你当年去哪了？你就跑到这地方了？你拿那么多钱来这儿？"

付老狗捂着头没说话。

付焕："我妈一阵儿恨得你牙痒痒，让我俩记住你，将来找到了一定要弄死你。拿了全家的钱跑，你知道我妈还了几年债吗？一阵儿又哭，说你肯定是遭了意外，家里有你的黑白照片，有时候我们要给你上香，有时候我妈拿起来就砸，相框换了好几回。现在家里还摆着呢，这回没人砸了，跟我妈的摆一块儿了。"

付老狗："金梅死了？"

付炬又说话了。

付炬："你到底去哪了？"

付存武当年拿着钱出了家门，走在路上，提包里二十多万，他这辈子第一次见这么多钱，这么多钱，原来就这么轻，这么轻一兜子钱，却能干那么多事，就是不知道能不能把孩子接回来。接回来了还得还债，车也没了。生活已经那么难了，生活还能更难。当时是冬天，街上行人哈着白气各自赶路，这些人要是摊上这么个事，会怎么做？付存武不知道。怎么活成这样的，当年跟金梅结婚就是父母安排，就知道不行，就知道早晚不行。俩孩子早就死了吧，哪有绑了孩子还真等着的，那俩孩子脾气又那么大，不可能让他们活着。他们是死了，我呢？我怎么办，我把钱交了，后半辈子，我怎么活，已经难受了半辈子了，还要再难受半辈子。

路过汽车站，付存武随便上了一辆，走了。

付老狗："我一直跑到了南方，钱省着花，过了几年，在报道上一直没看见我名字，觉得警察还在抓我，我就想出国，去了泰国，让几个说帮我弄移民的把钱骗完了。十年前回了国，没处去，想起以前开大车来碱矿拉过碱，就到这儿了。根本没人认识我，当年那事也根本没人记得了。"

付焕："你他妈活该。你也不用跟我们说钱花完了，我们不缺钱，没人跟你要。来，就是让你跟我们一起回去，跟我妈磕几个响头。"

父子三人走到药店，已经关门了。药店旁边是中国联通的营业厅，门口台阶上坐了很多人，有矿上的，也有周边牧区的牧民。他们喝着啤酒，坐在台阶上一言不发，各自拿着手机，隔着卷帘门蹭里面的 Wifi。

付老狗拿下头上的毛巾，血也不流了。

付老狗："我不想回去，我走了这些狗没人管。"

4

付炬付焕回到塞上客栈，就看见门口多了两部车，一部吉普，一部途锐。校长没出来，付炬付焕的老婆出来了。

两个女人长得一样，高，胖，穿得贵又丑。

付炬老婆："你俩回来了？来这地方干啥来了？赌钱，吸粉儿，还是会朋友啊？"

付焕老婆："你是不是又吸上了？你俩不管管自己也得管管我们啊。"

付炬老婆："不管管我们也得管管孩子啊！"

两个女人声音亮，动作大，话密，校长觉得，这兄弟俩闷闷沉沉，生命力好像都到了这两个老婆身上。两个老婆说着就哭，哭着就往地上坐，刚坐下，两个胖小子从店里出来，手里都拿着手机，两人出来各自站在各自的妈旁边，暂停了游戏，看着各自的爸爸。

付焕："我找着我爸了，明天我们把他带回去。"

两个老婆不哭了，她们都知道付家过去这件大事。

付老狗说不想回，付焕又想动手。中国联通门口的牧民有些是付老狗店里的常客，剩下的虽然不认识付老狗，可在碱矿生活的人，发生了什么事都恨不得跟自己有关系。听到三人说话，都放下手机，扶着酒瓶子往这边看。

付炬看看这些人，又看看身后围拢过来的狗。

付炬："你得跟我们回去，不是为我妈，也不是为我俩，我俩没你这个爸。你回去，就是为这个事，这个事得完，你这个头不磕，这个事还得跟着我俩。我俩也想过过日子了，累了。你磕完头，继续回来喂你的狗，不拦着。你不跟我们走，你的店我们砸了，这些狗我全打死。你自己回去想想。"

说完付炬付焕往回走，牧民没跟上来，有条狗动了一下，让付炬看了一眼，坐下了。

二楼四间标间全开了，这回是两个老婆各睡一屋，儿子们跟爸爸一起住。付家兄弟疼孩子，宠，有时候也打，当妈的不能打。

两人没爸的事，平时从来不提，就是吸了毒，喝了酒，半夜起来坐在沙发上抽烟的时候，虽然还是一句话没说，可两个老婆知道这是心里提起来了。

付家兄弟没爸，从小活得警惕，其实没人欺负他们，就是有时候几个男生聚着说笑，他俩看见了，就觉得是说他俩，上去就打。这么从小打到大，谁说起他们都说服气，服完了又叹口气。两人做各种各样的生意，认识各种各样的人，都知道付家当年出过事，都知道不能当面提。

老婆们把孩子领来兄弟俩挺不高兴，当晚回了房间，让俩孩子背单词，两个老婆负责检查，他们在旁边盯着老婆检查。

孩子们常因为学习不好挨打，理由都是一个："你们他妈还学不好，你们没爹吗？"

付炬老婆："你爸咋找到的？"

是有个赌徒，借了付家兄弟的高利贷，还不上，跑，被抓住，挨了顿打，最后说："钱真没有，两位爷爷，我有个事说给你们，不知道能不能抹点账。"

这个赌徒来过塞上客栈，见过付老狗，看出了他们眉眼之间像，也打听了，这人不是碱矿本地的，细问也没人知道他哪来的。

付家兄弟知道了这事，转天就开车奔碱矿来。赌徒的账当然没抹。

5

第二天清早，兄弟俩还没起，付老狗端了一盆煮好的骨头来了客栈。

校长在楼下，正要给两家人准备早点，俩老婆已经起床了。

昨晚付家兄弟回来，校长还给付老狗发了微信，问："没事吧？"

付老狗回复："没事。"

校长发去一个"没事就好"，嫌还不够义气，又发了个"早点休息"，最后怕付老狗想不起他替自己出过一拳，以"友谊地久天长"的表情做了结尾。

付老狗端着一大盆骨头，狗群一直跟到门口，有两条差点进来，被付老狗骂出去了。

校长迎上来："老付，来啦？"

付老狗："嗯。"

付老狗答应着，看见屋里两个女的，两个老婆看见付老狗的脸就知道了，这就是婆婆生前天天骂的男人。

两人不知道该如何称呼，校长继续说话。

校长："这是干啥？"

付老狗把肉盆放桌子上："我也没别的啥东西，跟他们兄弟赔个礼。"

说着付家兄弟从楼上下来，身后跟着不愿起床的两个小胖子。

小胖子闻着肉味儿醒了，扑下来就要吃。付老狗看到两个小孩儿，有点愣住。

付焕："看啥？我们的儿子，跟你没关系。不许吃。"

付炬看一眼付老狗，坐在桌边，拿起一块骨头闻了闻。

付炬："吃吧。"

俩孩子去拿肉，付炬老婆说话："没礼貌呢，说谢谢爷爷啊。"

付焕："不许叫爷爷，叫老板。"

两个小胖子无所谓，说了谢谢老板。

付炬吃着肉，等付老狗说话。

"我想了一夜，我不是人，当年走的时候，就是你们这个岁数，你们俩，就是这俩孩子这个岁数，"付老狗说着声音发颤，"我今天来，本来是给你们道歉的，我还是不想走，我那些狗真没人管。"

付老狗说着话一直盯着孩子看，又看向两个当妈的，眼泪一下流出来。

付老狗："我跟你们回去吧，我对不起你们，我也对不起金梅。"

校长一直在旁边，没见过付老狗这副样子，也红了眼圈："多好啊，多好啊，都坐下吃，我去给你们熬茶。"

付焕："那我们吃完就走。"

两个小胖子一下闹了起来："又走啊，爸爸，昨天就坐车了，我们说留在家里让张阿姨看着，今天还能上课，我妈非让来，坐车难受啊，明天一请假，又耽误学习。"

两个老婆脸上难看，昨天是抓丈夫心切，觉得带着孩子，要真是小三什么的，多个筹码。这俩小孩儿从小就晕车，两个当爸的也知道。

校长："对对，再待一天，来都来了，别看碱矿这个样了，旁边有个响沙山，能滑沙子，开车十分钟，我以前老组织学生去，好玩儿，小孩儿喜欢！聚聚吧，你们一大家子，这么多年没见，我和老付也是好哥们儿，我替你们高兴啊。"

校长觉得，这么重要的大团圆，自己理应多发挥积极的作用。

从碱矿到响沙山的路两边，地是白的。查干诺尔碱矿，"查干诺尔"是蒙语，"查干"意为白色，"诺尔"意为湖，白色的湖，听着浪漫，其实是挖碱的地方，寸草不生，白茫茫。

两个爸爸带着两个孩子去滑沙子，两个女的和付老狗坐车里，衣服太贵，不舍得滑。

两个老婆坐在前排，付炬老婆跟付老狗说："付老板，你的事我们都知道，我们女人想得简单，过去了就过去了，这个事啊一直在他们心里，两个没爸的孩子，可怜啊。"

付焕老婆也说:"你跟我们回去, 就别回这破地方了, 你们毕竟是父子, 父子情深, 血浓于水, 我们好好劝劝, 你就住下吧。你来了, 他们肯定能把臭毛病都戒了。他们心里苦啊, 谁没爸心里能好受了?"

付炬老婆接过来又劝:"我婆婆死之前也跟我们提起过你, 难啊。我婆婆说, 他们哥俩从小写作文, 记一件难忘的事, 就是那一件事, 太难忘了, 平时又不说, 爸, 我就叫您一声爸, 你就回来吧。"

两个女人说着又要哭。

付老狗:"你们能不嫌弃, 他们能不嫌弃, 我愿意回去。"

"不嫌弃不嫌弃。"两个老婆又破涕为笑, 破涕为笑之快, 让人既怀疑之前的涕, 也怀疑之后的笑。

回程路上, 两个小胖子要坐一个车联机打游戏, 让付老狗坐中间, 防止互相偷看。

车上俩孩子说:"付老板, 你会跟我们一起回家么?"

付老狗:"嗯。"

付炬儿子说:"真没劲。"

付焕儿子说："你要是不回来就好了。"

付焕老婆："怎么说话呢，要挨揍是不是。"

付炬儿子："我爸他们刚说了，老板明天要是反悔，就带我俩去打死他那些狗，这回不能打了。哎操我怎么又死了！"

付炬老婆："小孩儿不许说脏话，想打狗，明天让你们打两条再走，怎么能不让爷爷回家。"

说话的过程中，在前面的没回过头，打游戏的没抬过头。

付炬老婆又说："爸，你儿子刚给我发微信了，说明天五点就走，上坟得赶早，还有就是还想吃一顿爸煮的骨头。"

付焕老婆："爸，你看，他俩高兴着呢，就是抹不开脸跟你说话，还装呢，你别理他们！"

付老狗答应着，从后视镜看后面兄弟俩的车，车轮卷起的尘土都是白色的。付老狗想，明天就要离开碱矿，再看不到这种白色的土了。还以为能老死在这里。

6

碱矿的早上十分安静，以前这里八点要吹上班号，五点要吹下班号，吹完号要播报当日产量，领导讲话，然后大部分时间用来播放草原歌曲。现在吹号的播报站没了，大家只能用手机放草原歌曲。

校长睡醒溜达出来，看到桌上一盆吃剩的骨头，门口趴着两条狗。校长喊了两声老付，没人搭理，往上看，标间房门都开着，可是往外看，四辆车还在。不对，只剩下三辆。

校长走到门口，发现两条狗嘴角流血，不是趴着，是死了。再看出去，付老狗来时常走的那条碱矿唯一的主路沿途，趴着所有死狗。

校长手机响，是微信提醒。

第一条："给你添麻烦了。"

校长向剩下的三辆车看去，看不到里面。校长犹豫等下是不是等警察来了再开车门。

第二条："我走了也没人疼它们，就这样吧。"

校长看着门口两条死狗，想起来其中一条好像叫灿灿，跟老付关系最好。

第三条没话，是一个表情，就是那天校长发给过付老狗的那个。

友谊地久天长。

盗时

李大师还想跟张布罗说什么，可人正常了，
就什么都说不出了。

1

源源："张哥不是咱们这儿的噢？"

张布罗："我老家在南边儿。"

其实张布罗老家也是北方，他上一个活动的城市也下大雪——他在一场大雪里背了人命官司，跑到这儿两年了。这儿是更北的地方。

在北方，你没有我北，你就是南边儿来的，具体是哪儿，你不说没人问，尤其是在这个屋里，这盆肉前，热气腾腾。手把肉冒热气最好吃，凉透了从冰箱里拿出来也好吃。就怕温吞吞，吃着窝囊。

这是个赌馆，玩儿得不小，伙食也好，中午手把肉，下午炖牛排，消夜鲜羊肉饺子，赌到早上，喝奶茶泡肉干奶豆腐，都是赌馆老板娘给做。老板娘可不是爱伺候人的人，不伺候人的人煮肉才最好吃。

源源："那你不知道是正常，你想知道不？"

源源身上瘦，肚子大，酒和肉屯的。穿了个红秋衣，更显，本来外面还套了红毛衣，玩儿了没两把脱了，说是越输越出汗，越出汗毛衣越扎，越扎越输。赌徒的逻辑都这样，绕一个圈儿，把自己兜进去，然后再挣脱，说，我把毛衣脱了，非赢你们不可。没赢也没事儿，另想一套逻辑，再兜一圈儿。赌徒是面对偶然总有话说的人。

岁数不大，有点谢顶，头发很油，这屋里的头都油。长得老实，一说话又特别不老实，可人也许其实很老实。张布罗待了两年，发现这是本地男人一个共同特点。

张布罗拿了个羊腿棒儿啃，没说话，源源就讲上了。

"我们那个学校，都知道乱。女学生能往出领，可咋领有门道儿，我不教你你就领不出来。"源源掰断一个飞机骨，把脊髓嘬了。张布罗爱吃羊肉，但从来不吃脊髓，他觉得人吸脊髓的表情很暴露人格。他是贼，贼最好别暴露任何东西。

张布罗："可别说教我，我不领。"

"是是，我就讲讲嘛，万一哪天想领了？"

源源压低了声音，其实没必要，旁边人要么闷头吃肉，要么翻手机，检查自己在这时空之外的地方误了多少世上事。要么就是讨论上一把哪一手打臭了："都你那个破四饼下的，我他妈输三千多，你说这事咋办。"

源源："也简单，你就开上车，往我们学校门口一停，车顶上摆瓶水，摆农夫山泉，就是找陪唱歌儿的，摆可乐，就是找能干一下的，摆红茶，就是要包宿。女学生们出来一看，就知道该上哪个车了。"

源源讲完，张布罗还没说话，旁边那个输了三千多，叫四眼儿的插话，"源源，我要是摆瓶娃哈哈呢？"

屋里人闷笑起来，油头集体颤动，源源也笑，"你摆你妈个逼，你咋不摆瓶脑白金呢？"

油头们彻底大笑出来，各自接话，顺着源源的思路开四眼玩笑，源源很得意。

张布罗想，在这屋里真要说什么要紧话，还是得压着点声音。

好在张布罗不会跟他们说什么要紧话。

他们也说不出什么要紧话。

2

张布罗常在这赌馆泡着，有很多原因，一是他爱偷，赌馆里有钱的不少；二是偷来的东西，能找源源换钱；三是——虽然张布罗不承认——人似乎还是得沾点儿人气儿，才活得下去。

真独来独往时间长了，别说别的，偷东西手都会变慢。

赌博本身，张布罗则没多大兴趣。赌哪有偷刺激。

两年前，为了偷一尊金佛，张布罗背了人命案子。不是他干的，可没有人会信。他跑到这个小地方，租了个房，两室一厅，他住一间，金佛住一间。

没事的时候，张布罗就去佛屋里坐坐，想些事情。想不通的居多。

到了年底，赌馆生意好，一是外面大雪，没事可做，二是忙了一年，这会儿手里都有钱。

张布罗在这儿见过有人贩了一年羊皮，一夜输光的。输光不算，还要欠老板娘钱。老板娘除了给大家煮肉熬茶，就是放贷。老板娘胖，看眉眼年纪不小了，皮肤特别好，有胆儿大的赌客说过，你看我们老板娘这皮嫩的，跟奶皮子似的。一笑也就过去了，没人见过老板娘生气。做饭好吃，跟谁都笑，来耍钱的都是男的，男的，一见女的跟自己笑，就以为能有点儿什么。这么多年，什么都没有。

这儿耍钱的，多数都有正经的工作，都没有多厚的家底，或天性多么潇洒。是来了这儿，才身不由己，肉吃上，茶喝上，骰子一扔再喊上，人才潇洒起来。后果，是这个时空外面的事。

这会儿进来这个人，跟常来的人不大一样，戴个暗红色墨镜，张布罗看出镜片是玛瑙打的，镜架油污，又粗又黄，是金的，这个别人都没注意。早几年本地牧民都戴玛瑙镜片，防看雪地久了眼盲，后来时代进步，也都换成广告里外国人戴的了。

红墨镜裹着貂皮大衣，看着魁梧，一脱就瘦了。透过墨镜看，左眼有毛病，一眨一眨的。这人没带朋友，没人见过，也不知道怎么找来的。其实这地儿很好找，门口雪地上天天聚一群狗，走近了看一地骨头，知道的一猜，就是里面天天聚一群人耍钱呢。张布罗当初就是这么找上来的。

　　老板娘给倒了碗奶茶，就上桌了。裤兜儿里掏出一卷儿钱，零的塞回去，整一千全押了，玩儿推对子，赢了一圈儿。钱没往回装，继续全押。

　　源源在他提到的那所大学做保安，在这儿赌，输赢几万上下很正常，没见他慌过，保安之外，源源还在他哥的宠物店有收入，收入怎么这么多？这就不好问了。就像张布罗要拿金项链抵赌资，源源也不会问哪来的一样。

　　"操他妈，我吃口肉去。"源源输狠了，下了桌儿，把红秋衣也脱了，里面是红背心。

　　张布罗一直没赌，他在看这个红墨镜，貂儿不错，手气也不错，要是这人今晚赢着走出去，今晚就偷他。

　　"兄弟手真壮啊！""开了光来的吧？哪的喇嘛你给

咱也介绍介绍。"

在这儿耍钱，输急眼的有，闹事的从来没有，惊了公安谁也好不了，人跟人之间尽量和气。这个红墨镜，光赢不说话，很不和气。

桌上人分了两派，红墨镜自己是一派，剩下的，谁能赢他一手，大家就都叫好，嘴里不干净，边喊边骂。红墨镜也不生气，就是继续赢，继续押，张布罗怀疑他就带了一千块钱。

"没人玩儿我走了？"

红墨镜终于说话，桌上人的钱，已经不够跟他押的了。

"老板娘，借我点儿！"

说话的是赌急了的四眼儿，他已经欠了不少了。老板娘没说话，意思很明白，别借了，这人赶紧走了，你们还能好好玩儿。

可话都喊出来了，四眼儿也下不来台："咋，不借？谁借我点儿？张哥？"

现在借他就是害他。

"个瞎逼，别走啊，谁借我点儿？"

"兄弟，我给你想个主意，"红墨镜让人骂了"瞎逼"，终于正式跟桌上人对话了，"没钱咱就不玩儿钱呗，我就桌上这些，咱们再赌一把，就骰子比大小，输了我都给你，赢了你自个儿切根手指头给我，划算不？"

红墨镜说这话时，那只一直眨的左眼不眨了。

屋里炸了一下。"操你妈想干啥？""赢点儿钱牛逼了？你剁一个我看看！""叫人砍你你信不信！"

人往上涌，早就看他不顺眼，都想借机动手。

张布罗伸手摸烟盒儿，里面放着常用的小刀片，他怕真打起来，这一桌子钱影响人心智，场面容易变成人人过后都后悔，但当时就是无法收拾的那种。他往墙角儿靠。

四眼儿喊了一嗓子："干啥！别吵吵，让人看笑话。"

老板娘捏着手机看人群，不知是准备给什么人打电话。其余赌客都看四眼儿。

这个四眼儿赌品不行，一输就急，一赢就笑话别人，把他架到这么个地步，真不会处理，能喊出"别让人看笑话"，已经让大伙儿刮目相看了，心里又多了一分同仇敌忾的情义。可他真要同意切手指，又得让大伙儿笑话，老板娘就得照他屁股来一脚，然后把他跟这个红墨镜一起撵出去。

"我哥来了！四眼儿，赶紧躲开！"

喊话的是刚在外屋喝茶的源源，随着声音进来的是一个四十来岁的瘦高男人。

"李大师来啦？玩会儿呀。"

这回是老板娘说话。她放下了手机，张布罗看得出，她还放下了很多不好的想法，担忧，和对事业的重新规划。她重又变回了那个自在，给人煮肉，开玩笑让人管她叫妈的老板娘。

这是张布罗第一回见李大师。

3

李大师，是个老师，就源源那个大学，教兽医专业，自己还开了个宠物医院，很赚钱。爱赌，谁也算不过他，慢慢没人敢跟他玩儿大的，小的他不爱玩儿，就不常来了。源源能有个保安的工作，也是托他哥的关系。源源在这儿赌，赢钱的时候，总有人开他玩笑："你哥这是又给你补课了啊。"

爱赌是后来的事，年轻时爱的是气功，所以叫李大师。

那时候全国气功热，大师多，李大师遍访名师，被骗得快倾家荡产时，跟定了一个叫王中运的。这王中运常年在中央工作，李大师在北京故宫太和殿受了他接见，有张合影，回了这个小城市，就负责他们"运功"的传承。

那照片儿李大师秘不示人，但不少人都见过，确实是在故宫照的，跟别人的游客照没有两样。

李大师聪明，在大学（当时这学校还是技校）当老师的，要传功，来学的自然多，老板娘也跟他学过。最热闹的时候，在学校大礼堂做带功报告，两千人围成圈顺时针走，都感到自己走在正道上。

李大师懂医，对气功和人体有科学的看法，他说，人脑熨平以后就是一张糖纸，承担有限的防卫、保鲜功能，最主要的用处是你透过它追寻真理时，发生的折射。

修习"运功"，就是调校折射率。

因为这独到见解，王中运还写信表扬过李大师，夸他做出了重大理论突破，准备邀请他去北京做报告。李大师焦急地等了几个月，大脑折射率起伏不定，结果在《新闻联播》里看到了王中运，他的名字简短闪过，跟好多其他宗派的大师一起，并没有特写镜头。

一夜间好多气功门派被打成非法活动，跟李大师学功的都散了，上班的上班，喝酒的喝酒，两千人绕圈儿盛景再难重现。李大师没气馁，他认为其中必有误会，打算去营救他师父那天，在火车站被警方控制。

也没啥罪名，小地方，都认识，谈了谈话就放了，说，你好歹是知识分子，当老师的，怎么封建迷信起来没完没了，我们都不信了你怎么还信？工作还要不要了？

日子慢慢过，逢大日子，会有专门的人到他家看看，叫他踏实工作。后来李大师开始爱上赌博，组织上算放了心，知道他正常了。

李大师坐下，看着红墨镜，"兄弟，我跟你玩儿，你说玩儿钱就玩儿钱，你喜欢指头就玩儿指头。我留着指头也没用，脑子的折射率错了就都错了，时间是最原始的信息，输入与输出永恒不对等，我们地球，集体慢了五分钟。"

红墨镜左眼又开始眨，把钱往中间推推，没说话，意思是先赌这些。

赌的就是比大小，纯运气，李大师赢了。

红墨镜站起来想走，刚刚被压得喘不过气来的赌客这会儿都来了劲，"哎，干吗，不剁指头了？不牛逼了？"

李老师示意大家别喊，"人都有难处，科学有些事情也解决不了，我们是信息流动的副产品，阻截是没用的，你要不把眼镜押一把？我看眼镜架子是金的。金是好东西，宇宙中来，宇宙中去，重元素，地球上没有的，才能解决时间问题。"

李老师正常了好多年，因为聪明，升职很快，赚钱又多，遭了同事嫉恨，一回李大师请同事来家聚餐后，一个人举报了他还没有放弃邪门歪道，家里有怪东西。公安上他家一看，果然不像正常人家，放了好多钟表，好多都是他自己做的。同事会挑日子，正是建国六十周年，李大师就又被关了起来。

没什么罪名，也没人为难李大师，他自己又表现优秀，没几个月，在一回本地大领导视察监狱时，作为改造模范发表了演讲。大领导听完李大师"人生成败在于把握时机"的演讲后，面色有变，单独跟李大师聊了两句。

别的领导看见这情况，赶紧就把李大师放了。学校领导听说这情况，赶紧给他恢复工作，升了职，举报他的同事很快被开除。

没人知道两人说了什么，越传越邪乎，都说李大师真有两下子，肯定是帮领导算出了一个什么难处。也有传李大师手里有王中运的宝物，送给了大领导。还有说，其实俩人啥都没说，就是随便聊了两句，但这就够了。

没人敢再管李大师，他说话愈发奇怪，还像是在传功，可又没打算让谁听懂，都能感觉到他想解决一个，关于地球和五分钟的问题，具体是什么不知道，也没人在意，反正他上课不这样，给动物看病也不这样。此地人的冷漠，常常表现为这样的宽容。

老板娘能听懂李大师说话，给红墨镜翻译："不想玩儿了咱就喝点儿茶，交个朋友，下次再来，还想玩儿，李大师的意思是你眼镜腿儿好像挺值钱。"

红墨镜把眼镜摘了，镜片抠出来揣兜里，镜架扔在桌上："不玩儿了，见笑了。"

说完就走，左眼眨得厉害。

这会儿赌客们才发现这镜架好像是金的。

"我的宇宙表正在研发关键阶段，我们和宇宙马上就能同步了朋友们，这金子不错，磨一磨就能做分针，希望它是恰巧符合时机的那根，快了五分钟呀，都不对呀，早点弄对吧，你看，快了五分钟我还说早点，语言也是时间的奴隶啊。"

李大师拿起镜架，钱还堆在桌上："源源你拿着玩儿吧，多给大伙儿输点儿，快了五分钟，人心乱，你不输给他们，他们不认，对你不好。等哥调好了宇宙，以后再有输赢，人们就知道认了。"

"这哥们儿，身上有金味儿啊。"李大师经过张布罗时说了这么一句，走了。

4

　　又玩儿到半夜，那堆钱源源没全输了，大家气也消了。一晚上都在开红墨镜的玩笑，说他走时多难堪，没了眼镜，那个左眼跳得多像中风，四眼儿还学他。

　　张布罗抽空问源源："我以前给你的金银首饰，你是不都卖给你哥了？"

　　源源："你咋知道。"

　　张布罗说："他过来说我身上有金味儿，这能闻出来？"

　　源源："他疯你也疯？唉，我也不知道他是要干啥，他就是到处收金子，做金表。"

　　张布罗想到了自己的金佛。

　　"挣点儿钱全干这了，我这个哥啊，灵是真灵，傻是真傻，"源源倒像个当哥的，"不过人家也无所谓了，大房子住着，就爱弄个表，我就怕他越来越神经，也没孩子，老了咋办。"

　　张布罗："做表是卖？还是？"

　　"人家是要拯救宇宙，"源源来到了自己不熟悉，却听过太多次的领域，"我哪懂，反正他满屋都是表，做过木表、铜表、电子表，今年开始做金表，说金表肯定对了。我介绍你俩认识呗，你老有金子要卖对不对？"

源源问完，没有追随眼神。能问出这个，源源比张布罗想的聪明。

"我看你赌得少，听得多，是个爱寻思事儿的人，他那些怪话也没人爱听，你快去听听吧，我哥容易高兴，他一高兴，可能把你金子都收了，他不心疼钱，我是真听不了他说话，头疼。"

源源这话说完，更让张布罗觉得以后要小心，甚至自己可能该离开这个地方了。

源源："我去看眼我哥，把这钱还他，你一起来不？"

张布罗："这都一点了。"

源源："他那时间观念，跟咱们不一样。"

张布罗上了源源的车，听源源说起他哥的事。

源源："他不一直练气功吗？后来说气功不行，想解决问题，还是得靠科学，自己弄了个天文望远镜，弄点书，还去国外考察了一圈儿，回来就做表。我没听太明白，他意思是，宇宙和咱们，不知道是谁比谁快了五分钟。"

张布罗："你哥是要调回来？"

源源："你说人是不是不能太有钱？"

"是慢了五分钟。"李大师眼睛不怎么看人，急匆匆的，张布罗到家里，也没用源源介绍，他就直接领进了屋，全是表。又领进了一个小屋，全是金表。源源留在客厅喝茶玩儿猫，不想听他哥说那些，也不想看了那些表眼馋。

屋里有个大工作台，上面好多零件，就有李大师刚赢的那副镜架。

"一块表不成，我就得融了做新的，我也没那么有钱，我有钱，地球上也没那么多金子，你知道吧？都是宇宙中飘来的，地球上所有开采的金子加起来，也就放三个游泳池。"

李大师坐在他的工作台后面，手里拿着一根金灿灿的分针，是拿一条眼镜腿磨的。

"金，重元素，中子星相撞的产物，所以做表调和我们和宇宙的时差，得用金，地球上的东西不行。"

张布罗想，地球上的东西不也是宇宙中的东西吗，没说。

李大师："你看啊，看这次咱们能不能跟宇宙同步了。"

他拿起一个方形的座钟，把分针嵌了上去，表开始走，张布罗看眼手机，是一样的时间。

"咱得等等了。"

张布罗："等啥？"

李大师："等十二点，零点，二十四点。我这个表很精密，地球自转一圈儿其实是二十三小时五十六分四十九秒，误差我也算进去了，跟别的科学家说的还有出入，反正就是等十二点，我拨一下分针，追上五分钟。"

张布罗："然后呢？"

李大师："你不觉得咱们这个地球，人间，怪事特别多吗？不太平，不平静，可是宇宙很平静，壮丽，没那么多事儿，你拿望远镜一看就能明白。追上了，调平了，时间一致了，我们就好了。"

张布罗看着他手里的表想，这人疯，金子成色是真好，能卖不少钱。

"我开始就是从银行买，金店买，都不行，我就想，可能跟金有关系，我就到处收，有经历的金子，老弟，你手里得是有这样的吧？"

太有了，张布罗想。

把那邪门金佛融了，再把这屋里的金子都偷走，然后离开这个城市，怎么看，都是最好的结局。

5

跟李大师约的是第二天晚上十二点见，源源说："那我明天就不来了，我去阿茹姐那儿了，你卖个好价钱，别跟我哥客气，他有钱！我们玩儿着等你啊！"

认识了挺长时间，张布罗一次都没让谁送他回过家，雪再大都是往雪里走，源源也就知道他不想让别人知道他住哪儿。

张布罗打算偷了李大师，就离开此地。

张布罗回家见了金佛，还是坐到了它面前，开始讲他接下来的打算。

"可能要把你做成表了，你还度人吗，还害人吗？"

睡着了金佛没托任何梦，张布罗用一白天打点收拾，还去观察了一下李大师家附近的地形。十一点他就动身了，张布罗挺有好奇心，当贼肯定得有点儿好奇心，他想赶上十二点看看李大师到底要怎么拨弄那个分针。是往前，还是往后。是让我们追上宇宙，还是让宇宙迁就我们。

外面雪不小，多给了司机点儿钱，让他在楼下等一个小时，雪大，不好打车。再说了，要是那个表管用，还说不好要不要给钱了。

6

红墨镜叫胡耗，家里有牧场，爸妈有钱，老婆爸妈更有钱，两家草场并一块儿，开车一个小时出不去。

胡耗好赌，什么都赌，不出千，就靠脑子和运气，主要还是运气。运气好的时候久了，就变成了气势。赌桌上气势足了，生活中气势也足，家里又有钱，老婆不管他赌博。

他有固定的牌局，那天纯是路过，随便玩儿两把，结果越赢越多，气势越来越足，就觉得周围这些人都配不上自己，心里轻蔑，玩儿得也就没意思，想走的时候一个四眼儿叫嚣，喊他"瞎逼"，他多年没听过了，说出赌手指的话，他根本不是赌手指的人。结果来了个李大师，他觉得脑子里一荡，一下后悔，这是在干什么？气势就没了，也不想赌了，扔了眼镜就走。

输掉眼镜对他不是什么事儿，可也不知道老婆问起该怎么说，身上那么多钱，怎么还把眼镜输了？解释起来没完，就找人又做了一副，还做了旧，又找地儿赌了一晚上，赢了钱心里平和了，才戴上回家。

进门镜片上的雾气还没散完，老婆就问了："眼镜怎么回事？"

要是平时，就回一句："没怎么回事。"

但他自己也没明白昨天是怎么回事，就老实说道："输了。"

"咋？没钱了？"

"有。"

"那咋给人眼镜呢？"

"那人看上了，不给眼镜，可能得给指头。"

"咋还跟人赌上指头了？"

"不知道，就突然要跟人赌。"

解释起来没有想象中麻烦，但后果比想的麻烦。老婆听完坐沙发上长出气，拿起手机给弟弟打电话，让赶紧带人过来，有事。

放了电话，就哭。

从脏话里把主要意思提炼出来是："我不喜欢你赌钱，可你啥都不会，就赌钱的时候像个男的，怎么连个眼镜都能丢？丢眼镜也就丢了，你还动过念头跟人赌指头，我咋一直没看出来你这么傻？今天赌指头，明天是不是要赌老婆？"

胡耗挨着骂，先是难受，后来气势一点一点回来，等老婆的弟弟一按门铃，老婆就不哭了，胡耗对着小屏幕上弟弟呼出的白气说："别上来了，我下来，跟姐夫办点事。"

说完进里屋提了两箱子钱，下楼了，满城找李大师。

李大师算是个名人，没那么难找，到晚上小舅子拉着胡耗，还有两个男的，就停在了李大师家楼下。四个人按李大师楼下门铃，冲着小摄像头哈白气。

"谁啊？"

"我，李大师，你赢了我个眼镜架。"

"噢，咋啦？"

"我拿上钱了，想买回去。"

"不行呀，做了分针了。"

"钱可以谈哇。"

"哎呀，你等到过了十二点再来，到时候要是它还在，你还在，我也还在，我就还给你。"

"来一趟挺远哇，这还一个小时了，上你家等行不？"

"那行。"

李大师开了门，弟弟和他领来的人推门进去就想动手，让胡耗骂住了："干啥？输了的东西能抢？"

李大师："就是的，你们别着急，过了十二点，万事万物，就都有结论了。"

"不能抢回来，也不能买回来，更不能等您白给我，"胡耗的气势完全回来了，"李大师，我的眼镜架子，我得赢回来。"

李大师："你这人，等等嘛，过了十二点嘛。"

胡耗："我不让他们抢，没说不让他们干别的，你现在不跟我赌，这一个小时，不知道你扛不扛得住。"

李大师："我就说乱，乱，乱！没个好，能讲的道理都讲不了，你看看，这人都没错，事情就要错，我不把这表做出来能行？赌！来！赌！"

李大师就拉了四人进屋，四人看到墙上桌上的金表，震住了一下，胡耗没乱："李大师你是好样的，领我们进这屋，不怕这几个人抢你。"

李大师："怕有啥用，怕地球就不慢五分钟了？怕宇宙就不动了？你说玩儿啥吧。"

胡耗李大师隔着大工作台坐下，另外三人找了墙角靠着，点了烟。

胡耗的小舅子跟旁边人嘀咕："这人咋回事。"

旁边人回："就这样啊，多少年了？你不知道？我家狗在他那儿做过手术，非说要是时间对了，狗一辈子能不得病，人也是，我妈当年还跟他走过圈儿，疯子。"

旁边另一个也说话："疯是疯，上课可厉害了，我有亲戚小孩儿上过他课，教得好，那孩子笨的，啥都学不会，就他能教了。"

小舅子："我这姐夫也是，人说十二点就等等呗，又赌，又输了咋办？我看他就是爱赌。"

俩人玩儿上了石头剪刀布。

先压钱，再说自己要出什么，说完能加一轮注，然后再出，出的可以跟说的不一样，要是跟说的一样，赢了输了都翻倍。

这是胡耗讲的规矩，他太爱赌了，啥都玩儿过，这个是他自己发明的，没人赢得过他。

李大师答应得利索。

胡耗："知道你有钱，咱就先赌钱，啥时候你输到愿意给我眼镜架了，我就啥时候走。"

李大师没搭话，放了个老马蹄表在桌上，盯着十二点什么时候来。

张布罗进屋的时候，桌上已经堆了不少钱。那会儿是十一点五十，是李大师喊那几个人把门打开的："我约的朋友，来卖金子的，也来看我调表，我表要是调成了，他这东西我也不用买了，可也得让人家进来。"

胡耗没认出张布罗，注意力都在赌桌上。

"我押一万。"

"跟。"

"我一会儿出剪子。"

"那我出石头。"

"我再押两万。"

"我跟，加十万，就桌上这些。"

"跟，出吧。"

赌到这会儿，墙角三个人早没了来时的凶气，烟也不抽了，跟着赌的两个人一起喊："石头！剪刀！布！啊！操！哈哈哈哈哈！"

胡耗也笑了，他赢了，双倍，李大师桌上的钱输没了。

李大师："我银行还有，我转给你。"

胡耗："李大师，这就没意思了吧？"

李大师："换平时，我肯定跟你有意思，这还差四分钟了，宇宙的命运，我们的命运，就是四分钟，严格说是九分钟内，就见分晓了，你不想获得宇宙一样的平静吗？"

"你他妈怎么输赢都说胡话，我们不欺负神经病，赶紧把我姐夫眼镜还来，我们就走了。"小舅子看到大局已定，恢复了凶气。

李大师："张兄弟，你不是带了金子吗，你借我玩儿一把，我真得等四分钟，我强烈感觉就是我手里这根，你的金子我用不上了应该。"

这时胡耗才看向张布罗，小舅子说："李老师你咋这么赖，赶紧的。"

胡耗拦了拦："他这有现成的金子，不让人家用，显得咱们不讲理了。"

说完就朝张布罗伸手，张布罗觉得好笑，我也没答应借给他啊，我是来偷东西的，怎么还往里赔钱。

胡耗的气势彻底回来了，不是在跟张布罗商量，没赌指头，可是是赌指头的狠劲儿，张布罗看着胡耗，掏出了金佛。

张布罗有点希望，李大师调完时间后，人能变得讲道理。

李大师："好佛啊，好佛，来来来。"

胡耗："那咱们也不用押了，直接说你出什么吧。"

"石头。"

"剪刀。"

"好……"所有人除了张布罗都喊起来，"石头！剪刀！布！"

李大师又输了，表上秒针往前，还有不到一分钟就十二点了，李大师抱着他的金表，手上捏着那个眼镜腿儿做的分针，急出了眼泪。

李大师："这要是对的金子，你们啊，你们就对不起宇宙，对不起咱们全体人类。"

可他还是愿赌服输，他再觉得地球因为慢了五分钟，规矩不符宇宙的规矩，也遵守了。在李大师心里，这种"遵守"，也是慢了五分钟注定的，无法摆脱的，我们是宇宙的弃民，时间之后的行星，我们做不了对的事情。

"兄弟，赶紧给我，我就走了。"胡耗看到李大师的眼泪，气势发生了微妙变化，生出一分同情，不知是不是手里抱着金佛的原因。

"你们干吗呢？"

老板娘，阿茹姐进来了。她一直有李大师家的钥匙。

老板娘从来就不信气功，她这种人怎么会信气功？当年学气功，是因为喜欢李大师，爱听他讲大脑啊，折射啊什么的，她觉得他才像糖纸，没用，可是美，事情透过他，就变了一个事情。

老板娘拿着些吃的，张布罗回忆起来，是有一些晚上，老板娘会拿着肉出去，更晚些时候再回来。

胡耗认出老板娘，没让小舅子动。

老板娘："说话呀，干吗呢？玩儿钱上我那儿呗，把人堵家里玩儿啊？"

李大师："阿茹！你别让他们过来！"

张布罗估计，他不说，也没人会过来。

李大师看到阿茹，放弃了规矩，认为这是时间自有安排，时机成熟了。

桌上的马蹄表响了，十二点。

李大师往前拨动分针，怀中金表的时间来到十二点零五，与宇宙一致，带着地球向前快了五分钟。

闹铃一直响，屋里人不动，都想看看这疯子疯了这么多年，究竟是为什么。

"对了，这回对了。"李大师放下表。

李大师："感觉到了没，各位，怎么样！是不是感觉到平静！这是前所未有的！我们和宇宙同步了，从今以后，我们就要过上对的日子了！"

小舅子还想发作，胡耗拦住了，赢的钱，除了金佛都没拿。

胡耗冲张布罗："我刚拿着这个，觉得心里踏实，也不想赌了，以后也不赌了。李大师跟你借的，你就让他还你钱吧，那么多钱呢，这佛是跟我了。"

张布罗看他身后的三个人，没说啥，让开个空，胡耗他们走了。

李大师："你看看，是不是，调完之后，钱都不要了，也不赌了，人平和了。"

张布罗扫了一眼桌上的钱，老板娘看见，说："兄弟，这就是个疯子，你就别偷他了，这些钱给你，也够了吧？"

张布罗一惊，看来这地方真待不了了。

李大师："谁疯子，你怎么跟师父说话？"

老板娘："你这个破表，这回调对了？"

李大师："调对了，大事成了，宇宙都对了。"

老板娘："宇宙对了，你也能像人似的了？"

李大师："嗯，我终于能跟你结婚了。"

老板娘："谁要跟你结婚啊，你咋还彻底疯了呢？把肉热热吃了。"

说完就走了。

李大师还想跟张布罗说什么，可人正常了，就什么都说不出了。

张布罗拿了钱，下楼上了出租车。

问师傅："看见刚走的四个男的往哪边开了吗？"

师傅："看见了。"

这城市路宽，楼少，开得够快，什么都能追上。

雪还是那么下，还没适应宇宙已经进入了新秩序，时间终于平和。

张布罗："那您帮我追追，我办点儿事儿。"

我要去把金佛偷回来。

我要让地球重新落后五分钟。

大人们

你爷爷脑子里有龙

儿女们没想到，他们的爸爸英雄了一辈子，
临终前的一年，活在关于龙的幻想中。

老周得了老年痴呆以后，八个子女轮流照顾，没让
老周受过委屈，可老周不愿理他们，老周就爱跟孙子龙
龙玩儿。

难得的是孙子龙龙也爱跟老周玩儿。完整见证老
周九十年辉煌一生的人已经没有了，分别见证了老周不
同人生阶段的龙龙奶奶、八个子女都有共识：老周这个
人，并不好玩儿。

老周人生最后一年几乎天天都跟龙龙在一块儿。龙
龙时年六岁，不愿意去幼儿园，愿意跟老周玩儿。

所以老周死后，龙龙提出要守灵，家里大人感动，
没拒绝。龙龙提出要打开棺材再看爷爷最后一眼，家里

大人感动，没拒绝。龙龙突然拿水往老周头上浇，家里大人懵了。

拉开的时候龙龙一直喊："别盖盖儿！别盖，等一晚上！我爷爷脑子里有龙！"

龙龙爸觉得孩子是悲伤过度，没有打他。

老周当过兵，日本人、共产党、国民党，老周都打过。没法弄，老周跟龙龙说："好男不当兵，好铁不打钉，爷爷那是没办法，挣钱养家，你可得好好学习。"

老周没读过书，全靠自学，没事就拿着字典翻，看完字典看《辞海》，世界历史，各国地图，是老周主要研究范围。

仗打完了，老周就打老婆，边打老婆边生孩子，生出了孩子就打孩子，有邻居不开眼的，有玩儿麻将嘴里不干净的，有路上擦肩而过眼神不对付的，老周都要打。老周不是个好玩儿的人。

得老年痴呆以前的老周，虽然老，余威还在，再说有八个子女，没人敢惹他，有陈年冤仇想报的，也劝自己算了算了都上岁数儿了。老周爱打麻将，每次去麻将馆，老板都恭恭敬敬泡好茶，用的是老周专门的缸子。恭恭敬敬请老周坐好，坐的是老周专门的太师椅，背对墙，面冲门，老周爱坐这儿。跟老周打麻将，不能调风，你们愿意，你们仨换，老周不动。

老周是从麻将馆儿回家的路上突然脑梗，然后神智越来越差，最后就痴呆了。

家里大人都说："都九十了，也该痴呆了。"

说完又不甘心："你说咱爸英雄一辈子，怎么就痴呆了。"

叹一阵气，总会有人总结发言："再英雄也没办法，老了就是老了，人还真能跟天斗啊？妈以后你也少玩儿麻将吧。"

只有龙龙知道，爷爷没痴呆。

爷爷跟龙龙解释过，那天回家路上会脑梗，是因为他惊了龙。

老周说："我把它想出来了，那能行吗，那它能服气吗，它不得给我使个厉害？那是龙啊！"

老周看字典、《辞海》、世界历史，发现一个惊天大秘密，就是中国、外国，都有龙！

"早就有了，还没有船的时候就有龙了，中国人、外国人，谁都不认识谁的时候！你说这巧不巧，"老周跟龙龙说，"巧成这样儿，就不是巧了，说明真有啊！"

盖好了棺材，全家人坐下，问龙龙为什么要这么干。

龙龙："爷爷让的。"

奶奶一听，边哭边骂："肯定是老周还没走，小孩儿眼睛最干净，看见啥了。老周啊，你别闹你孙子，看见别人不把孩子吓坏啊！你有能耐出来让我看看啊！"

龙龙爸："龙龙，你别害怕，好好说，咋回事？"

龙龙："我跟你们说，你们也不信，爷爷早就知道你们不会信。爷爷脑子里有龙，我们也有，不过爷爷的已经惊了，龙要出来……"

龙龙爸："你等等，你们先扶妈回屋。龙龙你慢慢说。"

老周早就开始了关于龙的研究，龙龙作为老周的助手，主要任务是帮老周拿书。不过老周不管书叫书，叫资料。每次带龙龙去书店，都是说："走，跟爷爷查资料去。"

龙龙除了自己喜欢的恐龙画册，还要帮爷爷拎上资料，那是老周还健康的时候，老周直到脑梗前都十分健康，能骑自行车带龙龙，还能带上他们的风筝。

俩人买完书就到广场上放风筝，天上云多，又聚，老周看看书看看天，就说："可能真是在云彩里，你想啊，国家是不同的国家，天就是一个天，龙在天上，今天在这儿，明天在那儿，大家都见过，这就说得过去。"

当时老周还没想明白龙在哪儿，这是他的一个推论。

老周也跟龙龙说过，龙可能在山里："有水有树，人少，可能是蛇越长越大，没人管没人杀，蜕一次皮变一点儿，年长了就成龙了，说得过去。"

龙龙也提出过他的推论："爷爷，龙是不是就是恐龙啊？"

老周："那不能，差着年代呢，恐龙灭绝得早。"

龙龙："爷爷，那会不会是人见到了恐龙化石，就觉得是龙啊？"

老周："那不能，每个地儿的恐龙都不一样，可龙都长差不多。我怀疑也有可能是啥呢，龙这种动物，没骨头，跟水母一样，当时存在，能看见，灭绝了没有化石，就以为是传说的了，你说这说不说得过去？"

龙龙："爷爷，水母是啥？"

老周就骑上车，带龙龙回书店，买介绍海洋生物的画册，后来老周还给龙龙做过一个水母样子的风筝，龙龙很喜欢，在广场上很受瞩目。老周打仗的时候会修枪，会给长官修手表，不打仗了会做家具，老周手巧。

在书店、广场、麻将馆里，老周想出来很多关于龙的推论。这些推论，都在老周脑梗那天被推翻了。

老周醒来，就拿眼睛找龙龙，想说话说不出来，过了半个月才恢复了语言能力，恢复后第一件事儿，就是把他最终的发现告诉龙龙。

"孙子，我看见了，龙不在天上，不在水中，不是水母，"老周压低了声音，用手点自己的太阳穴，跟龙龙说，"龙在这里。"

"爷爷，"龙龙赶紧追问他更关心的话题，"那恐龙呢？"

老周摆摆手："不一样，恐龙是到处都有，龙不一样，但真有龙，就在人的脑子里，你脑子里也有。"

人生活在地球上不同地方，却都见过龙，根据老周考据，越往远古，各地人类对龙的描述越接近。

"往后的龙变得花里胡哨，越来越不一样，我琢磨是俩原因，一是中国人外国人，越进化，脑子就不一样了，脑子里住的龙，自然也就不一样。二是啊，人啊，都说世上有龙，可其实心里没几个真信的，就编故事，画画，越编越不一样，其实你一放松，就能看见，龙就在你脑子里。"老周说。

脑子里有龙，看天天上是龙，看水水里是龙，看碗碗里都有龙。

"关键是你得放松，你放松一下。"老周满怀期待看着龙龙。

龙龙放松了，没看见。不过爷爷说的话，龙龙都信。要是脑子里也有恐龙就更好了。

发现了龙，就惊了龙，老周得了老年痴呆。

老周："我的发现，我不想跟你爸爸他们说，你知道为啥吗？"

龙龙："因为他们是大人，肯定不相信，我跟他们说美国现在就在复活恐龙呢他们也不信。"

老周："对，他们算是完了，看不见龙了。"

龙龙："爷爷，我能看见么？"

老周："肯定能，现在看不见，估计是你脑子里的龙还小，还是蛋，还没孵出来。"

龙龙："啥时候能孵出来啊。"

老周："不急，人和人不一样，你是我孙子，你脑子里的龙就是我的龙的孙子，那还能孵不出来？我估计是在十六岁。我十六岁那年，跟着部队转移，突然头疼倒山里了，等醒了已经成俘虏了，后来当了解放军嘛。我估计那回就是龙孵出来闹的。"

老周脑梗后半身瘫痪，得坐轮椅，不愿出屋，书也一眼不看了，想弄明白的都已经明白了。

老周没事儿就看看墙，看看自己的手，下雨了，就盯着天上的云看，看着看着，就流眼泪，按医嘱，家里大人知道这是老年痴呆的正常表现，只有龙龙知道爷爷是又看见龙了。

龙龙问过老周，他脑子里的龙具体什么样。

老周回答："孙子，爷爷脑子里这条，是条老龙，老龙跟小龙不一样，龙越老身上的光越亮，具体啥样，爷爷眼神不好，已经看不清了，就是金灿灿一片，有时候发红光，飞来飞去，有时候尾巴甩起来，能看着一点儿鳞片羽毛，哎呀，爷爷这辈子值啦。"

这些对话，老周只有在和龙龙两个人的时候说起，不给大人们听，听了也不会信。

灵堂上，大人们听完龙龙的话，没人相信，但都流了眼泪。儿女们没想到，他们的爸爸英雄了一辈子，临终前的一年，活在关于龙的幻想中，而龙龙小小年纪，就这么跟爷爷过了一年有龙的日子。

龙龙他爸把龙龙抱在腿上，接着问："那你为啥要往爷爷头上倒水啊？"

龙龙说："爷爷昨天交代的。"

昨天老周把全家都召集齐了，宣布自己马上要死，对全家人的遗言就一句话："我死以后，龙龙干什么，你们谁都不许管。"

再单独叫龙龙到床边交代："爷爷死了，你记着，往爷爷头上浇一股水。这辈子它在我脑子里，下辈子就该我在它脑子里了，龙遇水则生，浇完水等一夜，龙就出来了，到时候你别离太近，它亮，离远点，你替爷爷看看，它到底长啥样。"

龙龙："爷爷，那你在它脑子里，你们去哪儿啊。"

老周："这个爷爷没查着具体资料，估计是要去别的世界了。"

龙龙："爷爷，你是要死了吗？"

老周："不是死，也可以说是死，反正是去另一个世界了。"

龙龙："爷爷，那你会见到恐龙吗？"

老周："应该能，我见着了，就让老龙讲给你脑子里的小龙，到时候等它孵出来，你就知道了。"

龙龙："爷爷，我不想让你死。"

老周："没事儿，孙子，爷爷把龙想出来了，爷爷就没事儿了，死不了，爷爷活在龙头里。"

龙龙："爷爷，那我想你了怎么办。"

老周："爷爷也想你。"

龙龙："爷爷，我不想看恐龙了，你别死行不行。我想跟你放风筝。"

老周勉强抬起手，抓住龙龙："别哭啦，咱们爷儿俩是知道龙的人，跟他们不一样，别哭啦。"

龙龙哭着哭着，爷爷就死了。

家里大人听完，又哭了一回。

龙龙爸爸："就是浇上水，然后等一夜？"

龙龙："嗯。"

龙龙爸爸抬头，眼神征求了全家意见，没人反对。

大家来到棺材前，重新开了盖儿，由龙龙慢慢把水浇在老周脑门儿上，大家坐在灵堂里等着。应龙龙的要求，都离棺材远了一点。

一夜过去，没有龙飞出来。

守灵三天结束后，老周被送到了火葬场。

那天龙没出来，龙龙就开始大哭，哭了三天，哭累了就睡，睡醒了就哭，龙龙觉得是自己水没浇对，龙才没出来。龙龙爸爸也很自责，不该因为一时心软由着孩子，让孩子有了这么大负担。

龙龙非要跟着来火葬场，爸爸吸取了教训，不让他靠前，怕再受刺激。

老周被推进焚化炉，按钮一按，火光熊熊。

龙龙站在大人们身后，眼泪止不住，他往火炉方向看去，发觉火越来越旺，忽然金光一闪，一个东西飞出来，跟爷爷说的一样，飞来飞去，一下又发红光，尾巴一甩，能看见羽毛鳞片。

可那不是龙。

龙龙看清了，那是凤凰。

凤凰飞到龙龙眼前说了一句："你爷爷没文化，他脑子里的不是龙，是我，我们走了。"

凤凰朝天飞去，龙龙再也不流眼泪，大人们上前收捡骨灰，龙龙要求妈妈带自己回家。不在这儿守着了，爷爷又没死。

龙龙时年六岁，期待着自己的十六岁。

猫头鹰医生从来不哭

你就是否定感动，拒绝面对脆弱。笑，
笑了问题就化解了？

1

一切都是征兆。

我十四五的时候不知是读了什么书，突然有天跟爸妈说，我以后肯定不要孩子。让他们给笑话了。

他们越笑我越严肃，我越严肃他们越笑。我心里想，笑吧，到时候别怪没提醒过你们。

到了时候了，还是要了。这回没读什么书，就是开始喜欢孩子。带着一点惭愧。

主要还是陈围喜欢，陈围喜欢孩子，我喜欢陈围，我就也喜欢孩子。

陈围也喜欢我，不过陈围更喜欢孩子。

这没什么可嫉妒的，比起我爸，我妈也是更喜欢我。

陈围对孩子的喜欢是从怀孕前一年开始的，让我戒烟酒。我说："你啥时候见我抽过烟啊。"她说："是叫你看别人抽烟离远点。"

其间又有很多生理卫生方面的科学指导意见，虽然这些科学听起来都更像偏方，我也一一照办，孩子如期怀上，母子健健康康。

陈围爱学习，也爱孩子，为了孩子，就更爱学习。从怀到生，从生到养，严格遵照科学方法，我妈她妈说来帮忙带孩子，都拒绝了，忘了编的是什么理由，真实原因就是陈围怕老一辈带来老办法，不科学。

陈围："咱们小时候都是野蛮生长，能活成咱俩现在这样不容易了，人间奇迹。可是咱们要是能成长得比较科学呢？咱俩现在是不是就是了不起的人了？"

我："我不行，你可能是，可能嫁的也不是我了。"

陈围："反正哼哼一点险都不能冒。他将来没出息是他的事，现在我不能让他受了委屈。"

我："对，不让孩子输在起跑线上。"

陈围："并不是这么土的意思，不是输赢，算了你其实也懂。"

陈围带孩子确实耗心血，请的保姆就是洗衣服晾衣服打扫卫生，没让她跟哼哼说过话。

哼哼在陈围的哺育下，基本不哭不闹，从不半夜找奶，学说话走路都快过平均水平（陈围有美国和日本的统计数据），甚至这么大只发过一回烧，还叫陈围用物理退烧的办法一夜就治好了。

我跟陈围说："我都希望你是我妈。"

2

哼哼刚过完五岁生日，吃蛋糕的时候陈围问哼哼："今天是谁生日呀？"

哼哼："哼哼的。"

陈围："哼哼生日快乐吗？"

哼哼："快乐！"

晚上陈围跟我说："你发没发现，咱们孩子特快乐。"

我："是啊，多好啊。"

陈围："不光是生日，每天都快乐。"

我："是，是你带得好。"

陈围："他不怎么哭。"

我："对，别的孩子都爱哭，别的妈妈没你那么上心。"

陈围脸上有心事。

"小孩还是应该哭的，"每次有了心事，陈围都不给我揣摩的机会，她喜欢直接说出来，"男孩儿更是。"

这事第二天陈围又提了一次，说看了几本书都提到了，男孩容易受父亲影响，父亲在孩子面前总不展示柔软，孩子成长不全面。

我："我挺柔软的啊，昨天给他讲小熊的故事了又。"

陈围："男孩要是总看见爸爸特别坚硬、冷酷，就会觉得温柔，甚至直接表达自己的情感是件丢人的事。"

我："我不冷酷啊，你听过我讲小熊的故事吗？"

陈围："爸爸代表男人，妈妈代表女人，他潜意识觉得男人都像你一样冷酷的话，以后上学了跟男孩相处会有麻烦。"

我："小熊特别勇敢，保护森林里其他小动物，他跟小兔子最好，昨天讲到他没保护好小兔子……"

陈围："你得哭。"

我："不是，小兔子没事儿，猫头鹰医生给救回来了。"

陈围："你得找合适的机会，哭给哼哼示范。"

我："啥意思？"

陈围："你是不是没在孩子面前哭过。"

我："肯定没啊，我看他高兴还来不及。"

陈围："那也可以流下喜悦的泪水，也是一种表达方式，我就常常高兴哭。"

我："我没说哭不对。"

陈围："还有哼哼有时候磕了碰了，我也哭。"

我："那我再哭，一家三口抱头痛哭，干吗呀，让僵尸包围啦？"

陈围："你看，你就是这种性格。"

我："我就知道你要这么说。"

陈围："你就是否定感动，拒绝面对脆弱。笑，笑了问题就化解了？"

我："不是，我也哭啊。"

陈围："什么时候？"

那天的谈话停在这里。

我有好多年没哭了。

　　3

我以前看电影都哭，泰坦尼肖申克啥的，看动画片都哭，《狮子王》，看一次哭一次。陈围知道这事，她推荐我跟哼哼一起看一次《狮子王》。

我："第一次看都忘了是几岁了，我爸买的纪念版VCD，里面还送了一个折纸摆件，演到木法沙死的时候我哭得啊……"

陈围:"非常好，还有儿子对父亲的感情在里面，书里讲了，这种情感也是要学的，哭吧，我回屋躺着省得你尴尬。"

我和哼哼关了大灯，吃着薯片（陈围买的一种健康薯片，不太好吃），开了电影，果然看着看着我和哼哼就都不吃东西了，也说不出话来，不管几遍我还是会被剧情吸引。

我看到木法沙悬在崖上，眼泪就开始酝酿，终于，刀疤走了过来，他还是死了，我……

哼哼:"爸，这不对。"

我:"啥？"

哼哼:"辛巴得替爸爸报仇，辛巴肯定报仇了对不对？"

我:"……你自己看呗，告诉你了还有啥意思。"

哼哼:"爸，要是你死了，我肯定给你报仇。"

那天我没哭成。

哼哼似乎是有点过于坚强了。

4

陈围："男孩儿小时候不哭，不学会软化处理问题，情绪就容易极端。"

我要是会抽烟的话，此刻应该抽一口烟。

陈围："你看，你就这样，情绪不好了，就不说话了，也不笑了。你想，笑化解不了，沉默就有用吗？"

我没说话，又在想象中抽了一口烟。

陈围："我也不说你了，再说你又生气。反正你得哭，你再想想有什么委屈，你童年不是挺阴影的吗？"

我小时候常哭，我爸总打我，不打我的时候，他就吓唬我。小时候家不大，可从客厅到卫生间要自己走过一段没灯的区域，卫生间的灯又在里面，开门也是黑的，我怕黑。每次鼓足勇气开了卫生间的门，坐在客厅的我爸就从嗓子发个怪里怪气的声音吓我，我就会跑回客厅，不敢尿尿。每次这样跑回来，他都笑得很开心："连个厕所都不敢去"。

我确实不敢去，同时也为自己的胆小感到丢人，又为了有尿不能尿觉得委屈，就哭出来。看我哭，我爸就打我："再哭，再哭把你锁卫生间。"他也真锁过。

我没打过哼哼，陈围教得好，用不着，我也不想打孩子，打孩子能有什么用，除了让他哭，就是让他在十四五岁的时候萌生出不要孩子的想法。

我也从来不吓唬哼哼，不"逗"他，在我们家"逗"孩子被陈围严格禁止，有亲戚曾被她当场骂出去。那天我很难堪。

这可能也是哼哼不怎么哭的原因，保护太好了。

陈围也再次提醒我："你别想坏主意，哭，得是适当的情绪，不能是绝望的哭。"

想问陈围，那我绝望的时候你在哪儿。没问，怕她又说我是开玩笑。

我："哼哼，你最喜欢的小动物是什么啊？"

哼哼："猫头鹰，猫头鹰是医生。"

我："你不喜欢小熊吗？"

哼哼："小熊不会飞。小熊还总帮助大家，小熊太累了。"

我："哼哼愿意像小熊一样帮助大家吗？"

哼哼："猫头鹰医生也帮助大家。爸爸你再给我讲一个小熊的故事吧。"

我："好，你去爸爸书房把书拿来。"

哼哼很高兴，跑去了。

我至今都有点怕黑，陈围和哼哼都在客厅的话，我不愿意一个人走去书房。

5

我想过实在不行就硬哭，可陈围反复警告："哭的时机要准确，不能让孩子觉得你莫名其妙，要让他感同身受，此时非哭不可，而且哭有助于解决问题，关键是要让他学习，你怎么就听不明白。"

我："那我狠狠踢一下床脚这种肯定不行了呗？"

"可以，"陈围看着我的脚，我在家不爱穿拖鞋，"肉体疼痛，哭很正常，而且有助于缓解，孩子应该学，你踢去吧。"

见我不说话，陈围接着说："做不到的事就别说了，知道你怕疼。"

陈围太知道我了，我们刚在一起，还没那么知道彼此的时候，为了恋爱我们都哭过。

第一次给陈围送花她就哭了。我这人不会送礼物，逢年过节，连个问候短信都不会发，长此以往，也就没人给我发，到了生日，也没什么人记得，算是求仁得仁。跟陈围在一起倒是很自在，我们都不愿过节，觉得情人节出去人挤人是犯傻，我很高兴能遇上她。

后来有天朋友圈看到别人晒收到的花，刚想跟陈围讽刺两句，发现陈围在下面点了赞。陈围不是那种为了维护什么关系就给人点赞的人。当晚我给陈围买了花，买了一屋子，最俗的红玫瑰，从门口到卧室，连卫生间都铺满。

陈围下班回家就哭了，边哭边收拾。当时我们还在租房，我说："行了行了别哭了，还好这房子不大，要大就不给你买了。"

陈围笑了一下，然后哭得更厉害，说话抽抽搭搭：

"你别搞笑了行不行。"

婚后我就没再买过花了，她自己订了送花上门的服务，每周一次。

我开门收了本周份的，心里回忆起这些。

陈围："给我吧你不会弄。"

我："我帮你弄吧，好久没给你送花了，就当我送的。"

陈围："哼哼一会儿午觉就醒了，你们下午再看个电影试试。"

我："非哭不可啊？"

陈围把花接过去："非哭不可。"

我："陈围，你还喜欢我么。"

陈围："干吗，又脆弱了？"

我："你说呀。"

陈围："喜欢。"

我："我也喜欢你。"

陈围："嗯，挑电影去吧。"

6

　　我没挑电影，躺沙发上看着电脑，想起我这辈子哭得最多的一段时间。

　　那时陈围做胆结石手术，她爸妈来陪她。她爸妈当时不喜欢我（现在好像也是），我就没法陪陈围，因为她爸妈要住我们那个不大的房子，我只能在酒店提心吊胆。就算大，估计我也得住酒店。

　　陈围麻药退了给我发了微信，只说："很晕，我再睡会儿。"

　　知道她没事我就哭了，难过自己没在她身边，也难过她回复这么简单显然并不理解我有多担心，更难过自己其实也没表达清楚有多担心。最难过的是我根本不会表达这类情绪，就像不会在节日给亲朋发短信一样。

　　她还要住院几天，每天我差不多都在这样的情绪中，好一会儿哭一会儿，哭得最凶的一次，是有天她跟我说："我妈生气你不来看我。"

　　是他们不让我去啊——打了这么一行字，又删了，回了一个"哦"。想起了小时候无法尿尿的委屈。

我合上电脑，进卧室去看哼哼，哼哼已经醒了，陈围躺在他旁边睡觉，她睡眠一向很好。

我可能真的有问题，送花的原因没跟陈围说过，在酒店等她痊愈的心情没跟陈围说过，无法尿尿的委屈也从没跟我爸提起。现在连哭都不会了。

"爸爸，"哼哼跳下床，"哭不出来就别哭了，猫头鹰医生也不哭。"

我："谁跟你说我要哭了。"

哼哼："我都听见了，你们还总以为我是小孩儿。"

我摸了摸哼哼的头："爸爸去个厕所。"

"爸爸，"哼哼笑起来很可爱，"你不怕黑啦？"

我没说话，进了卫生间也没有开灯。

那天我哭了很久。没让哼哼看见。

事后也没告诉陈围。

当一周来到周末

这样下去没错，可是我不能只要没错啊，
我不能光过没错的人生啊。

1

郭本一向不觉得等待是多么麻烦的事。

飞机晚点就多看一会儿电影，约了人迟到就观察观察路人，在银行排队的时候可以了解下最近的金融环境，听旁人聊天，能听到不少需要躲开的内部消息。

何况今天郭本在银行还看见一出，一个老大爷，非要给骗子汇款，银行员工怎么拦都拦不住，最后叫来警察、家人。被拽走的时候老大爷眼神恨恨，大喊："你们知不知道是检察院找的我，我不能跟你们说，你们等着吧，你们这样是违法的！"

老头儿的女儿骂骂咧咧，一边给警察赔不是。女婿在旁边站着不说话，郭本猜测他平时跟岳父关系就不好，今晚肯定会跟老头的女儿有很多诸如"我早就说过你爸这个人……"之类的谈话。

银行员工全都习惯了，除了跟警察客气道别，没说别的。

听着旁边等号儿的人聊了一两句，说现在银行的人会时不时到ATM机前巡视，看谁边打电话边转账，就要问问："电话那边的人你认识吗？"

"骗子太猖獗了，政府也不管管。""管得过来吗？还不是因为老百姓傻逼。"

那俩人说。

郭本今天要取的钱多，所以没法在ATM办，只能排号等着。

铁椅子上坐了半天，郭本起来溜达，马上轮到他了。今天是周末，五个窗口开放了俩，哪个人先办完，郭本就去哪一个。

就是这个时候，金巧闯进银行来，应该是二十多岁的人，但有三十多岁的神色，挺好看，眼神像一种鸟。没化妆，身上的衣服放在前几年应该是时尚的，拎的包是LV，鼓鼓囊囊，郭本感觉是真的。

她一进来就往柜台这边看，大堂保安问她办什么业务的时候，她已经看向了郭本，郭本看着她直直走过来。

金巧："大哥，我有急事，求求你能不能让我先办，我可以给您钱。"

语气听着确实急，眼里面亮，除了眼睛，从眼皮到脸都显疲惫。

保安在后面跟过来，刚刚送走那个老大爷，他的神经还处在战斗状态。郭本摆摆手，示意没关系。

郭本："不用给钱，你先办吧。"

说完把排号给了金巧，自己到机器那里重新取号。

郭本一向不觉得等待是多么麻烦的事，今天就更不觉得了，今天他有很多时间。

今天是周末，他没约任何朋友，手机关机，今天他打算取出自己全部的存款。

郭本坐回铁椅子上，继续思考钱取出来该干什么。

2

周凯骑着摩托，骑得很慢。他就没骑得这么慢过。

周凯从小就两个梦想，一个是能天天骑摩托，一个是当警察。

他小时候上学路上被人劫过，这是他决定当警察的原因。劫走的东西是他的自行车，他自己给车头安了一个捡来的摩托大灯，不能亮，但他天天都擦。

考上警校，参加工作，硬熬了几年，去年才拿到编制。

周凯是那种跟谁都客客气气，可总让人觉得他就是瞧不起别人的人。单位组织什么活动都不爱参加，开会不发言，领导问总回答没意见，除此之外什么都不说。

领导不喜欢他，这回出了这事，停了职，让他写检查。

周凯不愿意写，说爱咋咋的。

父母劝，你不是从小就想当警察吗？

周凯听了劝。

周末这一天，周凯骑上摩托奔领导家送礼。

3

金巧从窗口离开，挂掉手机装回口袋，表情放松又麻木，看得出一件事终于了结，可并不是以当初期待的方式。金巧找了一圈，看到郭本这边，郭本不知道自己脸上是不是有跟她一样的表情。

金巧走过来，把包扔在郭本旁边的铁椅子上。

金巧："真是谢谢你啊。"

郭本："没事。"

金巧："刚还说给你钱，其实钱全没了。"

金巧说完笑了起来，她刚扔包的时候郭本就听见了，空的。

郭本："没事，你赶上了吧？"

金巧："赶上了赶上了。"

金巧说完又笑，笑完又露出那种表情，放松又难过。

金巧："我也不知道怎么报答你，我就陪你等会儿吧。"

金巧说完坐到铁椅子上，声音跟空包落下来一样。

郭本很少跟陌生人说话，还是跟比自己小挺多的女孩儿。结婚以前郭本就不是这样的人，结婚后就更不是了。不过今天不一样。

郭本："给人转钱？"

金巧点头。

郭本："这么着急啊。"

金巧点头。

金巧："你看现在，马上到十二点，我十二点之前不把钱转出去，他们会卸我男朋友一条腿。本来约的是昨天，昨天没凑齐，已经卸了一条了。"

郭本看看手里的号码，感觉自己有充足的时间听完这个故事。

4

昨天晚上值班，带的新人一口一个凯哥，不停给周凯递烟，老问，咋没人报警啊。

周凯骂他有病。

回忆起来，自己刚当警察那会儿，也是希望有人能报警。

当警察最难熬就是晚上值班，没劲，累。

有回半夜抓了个工地偷铁的，连夜审，问同伙在哪儿。师父回值班室睡觉，他一下睡着了，醒过来那个贼已经跑了。手还拷在椅子上，椅子也跟着跑了。

周凯叫醒师父冲出去，冬天半夜的大街上，马路拖椅子的声音让城市像荒野。他们追着声音，把那人抓了回来。

那是周凯第一回打犯人，师父也没骂他，就扔了包烟给他，说："赶紧学，提神。"

5

金巧是正经人家孩子，爸爸是骨科医生，妈妈是小学校长，金巧中学就被送到国外读。毕业回国，得知爸妈早就离婚。三口人最后一顿饭，爸妈也没给她别的选择，大局已定，她能做的只有点头。人生也没给她爸妈别的选择。

饭毕在楼下看见她爸的新老婆，隆起的肚子让金巧想起微博上常见的领养启事：难以割舍爱宠，无奈家妻怀孕，希望领养人能真心爱护。

　　郭本想起自己跟唐莹还聊过，以后有了孩子是不也送到国外去生，为此还查过各种机构，咨询过朋友。孩子还没生，就做了几套方案。到现在也没生，查的时候其实也没有要孩子的打算。郭本总这样，经常攻略都做好了，又换了一个地方旅游。唐莹什么都不管，看着郭本瞎折腾。郭本跟唐莹在一块儿之前，没这毛病，他是为了做好充足准备，他希望尽己所能让唐莹高兴。

　　金巧留学的时候认识了一帮朋友，回国后爸妈离婚，没人管，天天跟他们玩儿，最后跟一个比自己大七岁的男的在一块儿了。被卸腿的就是他。

　　金巧："也不是头一回出这种事了，他爸就好赌。他跟表哥一起开了个小赌馆，他负责经营，做德扑生意，前两天被警察端了，倒是没大事，人也没关，钱也不在店里，本来就是个德扑的场子，小生意。问题是表哥发现，当初让他拿去上下打点的钱，他都自己拿去赌了，一对账，店里营收，他也老做手脚。表哥急了，兄弟也没用，让他赔上亏空，不然……"

郭本："就卸条腿。"

金巧："他在医院呢，那天警察来他跑，被警察抓住打了一顿，刚出院一天，又回去了。他表哥的兄弟就在医院等着，看着表呢。你看，说着就过十二点了。真得谢谢你。"

刚刚那个大堂保安时不时往这边看一眼。郭本觉得他可能是在嫉妒自己，用一个排队号换来个小姑娘，也有可能是怕这女的有什么新的骗术。

至少目前郭本没听出来她要骗什么。

郭本："那你陪我等完了，去哪儿啊？"

金巧："没想好啊，反正这回真不想再跟他好了，我干吗呀我年轻轻的！"

金巧说完，眼泪流下来，擦了一下，又笑出来，眼睛里的活力慢慢盖掉浑身的颓势。郭本也觉得这女孩是应该重新开始，也能重新开始。不像自己。

金巧："你怎么称呼呀？"

郭本："我叫郭本。"

金巧："我叫金巧，我好久没认识新的人了。"

郭本："我也是。"

金巧看到郭本手上的戒指。

金巧："你结婚了啊，我年轻的时候特别想结婚，现在不了。"

郭本觉得好笑，听一个二十多岁的人说"年轻的时候"。

金巧："马上到你了，到你我就走了啊。"

郭本："你吃饭了吗？"

金巧："没，我从昨天到现在都没吃，操，就帮他凑钱来着，还不知道怎么还上呢。"

郭本："那你等我取完钱，我请你吃饭吧。我也是从昨天到现在都没吃。"

金巧："那咋行，应该我请你啊。"

郭本："没事，反正这些钱我也不知道该怎么花。"

6

这回这个事，谁都觉得周凯冤枉，其实不喜欢他的领导也这么觉得。

前两天去抓赌，警察都喜欢这种活儿。倒霉就是有个人跑，周凯把他抓住以后给了几下子，把那人打伤了。打的过程被路人用手机拍下来发到了网上，媒体网民都闹，说他暴力执法。

操，不暴力怎么执法？再说这也叫暴力执法？师父教周凯审人的那些招，周凯都没用过，他不爱打犯人。

上面公开回应当然是说这人拒捕，警察是合理采用强制措施。但领导不喜欢他，就停了职，让他写检查。

周凯骑过自己片区的烟摊，又调头骑回来，决定买包烟。

周凯想，要是师父没死就好了。

7

在郭本的一再要求下，金巧找了家附近最贵的饭馆。

郭本不知道该去哪儿，很久没在外面吃饭了，都是自己在家做，郭本上班都是自带盒饭。同事哎哟两声，开两句玩笑表示嫉妒，郭本也没说破过，盒饭其实都是他自己做的。

结婚六年了，郭本就拿过一回唐莹做的盒饭，郭本记得清清楚楚，前一天是他生日，唐莹不知道从哪儿看来一道菜，蜂蜜南瓜，做好了郭本说好吃，不舍得吃完，放在冰箱第二天带去了公司。那天的饭盒很难洗。

　　郭本也不太舍得花钱，一直攒钱买房，今天取钱才发现卡里就剩十来万了，钱一直是唐莹管。

　　郭本："你点吧。"

　　金巧："那我可点了啊，哎呀我真不好意思。"

　　郭本："没事。不碰上你我都不知道往哪儿装钱，忘带包了。"

　　金巧说完，看看自己的包，空包又鼓了起来，里面放着郭本所有的钱。

　　金巧："为啥都取出来啊？你碰上什么事了？"

　　郭本："没事。"

　　郭本还记得很早以前，跟唐莹聊天，说起自己以前的一个同学，做游戏公司发了财，郭本算了，不算他的固定资产，就是每天他至少就能赚二三十万。郭本当时感叹："你说说，一天给我二三十万，我都不会花。"

　　唐莹说："我会。"

说完两人就笑。在一起的时候，还是开心的日子多。除了嫌郭本干什么都不利索，唐莹没跟他发过别的脾气。

事情是从今年唐莹去学瑜伽开始的。本来郭本也打算一起去学，后来做了两套方案，推敲了一下，还是觉得自己应该利用下班时间开专车。每周两次，郭本开车送唐莹去学瑜伽。开始还接，后来因为拉活儿身不由己，唐莹也说有朋友一起学瑜伽，有人送，就没再接过。

当时要是坚持接是不是就不会有后来的事？

不会的，都是早晚的事。

现在回头看，郭本都能想通，也都理解了。实在就像唐莹说的："这样下去没错，可是我不能只要没错啊，我不能光过没错的人生啊。"

昨晚唐莹坦白了一切，练瑜伽跟一个年轻的男的好上了。

好了几个月，才来坦白一切。

唐莹："你对我那么好，我不能瞒你，我想咱们好聚好散。"

说得就像自己没做错什么一样。好像这么说了，她就没有错了一样。就是因为要摆脱负罪感，她才这么说吧。

唐莹："我错了，郭本，我对不起你。"

态度这么好，这么诚恳，要是不原谅她，错就在郭本了。

郭本知道，这么多年，跟唐莹吵什么架结局都是这样。

郭本觉得很累。

郭本："好吧，知道了。"

唐莹开始哭。

唐莹："郭本你别这样，我知道我错了，我对不起你，你别不说话呀，你说话呀。"

这是第二步，不光要原谅她，还要反过来安慰她。

郭本只想安静一会儿，这是他处理感情的办法。有什么可说，说能说明白吗？

郭本："你别哭了。"

唐莹哭得更凶，郭本也哭了。唐莹过来抱着郭本。郭本甩开她去找酒喝，结婚后他很少喝酒了，这酒还是上次有朋友来剩下的。

两个人喝一会儿哭一会儿，后来就睡着了。

郭本梦见佛祖坐在太阳上沉思。

早上醒来，郭本用领带勒死了唐莹。

8

摊主客客气气，不停点头，说："凯哥啊，不用给钱不用给钱。"

周凯扔下十块钱没说话。

摊主："周末也不休息啊？昨天又值班了？"

周凯点着烟，发现自己警服是够脏的。以前师父总说警服得干净，衣服都穿不干净，谁能服你。

也有日子没去看过师父了。

9

金巧吃得很香，郭本被带动也大口吃起来。他爱看年轻人吃东西，觉得都吃进去了。

郭本："你在国外学什么的？"

金巧："金融。"

郭本："那你打算找工作吗？"

金巧："不用，我想赚钱不难的，我朋友在家做直播一个月几万块，开网店赚得更多，还有当外围的，找个叔叔，更简单啦。"

郭本："你要当外围啊？"

金巧："有什么不行的？我跟他在一块，天天看他赌、嗑药，我大好青春，反正怎么样都是浪费。要不等下我们试试呀，你这么多钱没处花。"

金巧说完又笑，这次笑得有点吓人，她显然没有她想的那么放得开。

这包是有回他赢了不少，带金巧去一人买了一个，当场拎走，走在路上像两个大傻逼。

饭吃过比今天更好的，多贵的酒也是喝到吐，吐了再要。

有回喝多了，金巧哭，说恨她妈，俩人就去，在楼道门口堵住那个男的，一拳一拳打，金巧她妈在一边儿浑身抖，不敢管。

也在街边互抽过耳光，输得啥也不剩，男人在路边捡烟屁股抽，金巧一巴掌抡过去，男人回手，金巧眼角烫了个疤。

卖东西，借钱，再费劲金巧也没舍得这个包。他当时说了，用他一贯的那种口气："这包你可拎好，我跟你说，这包啊，这包以后就是给你装钱用的，花完我就给你装满！"

就这种话，金巧不明白自己怎么全能听进去。

金巧："你还没说你为什么把钱都取出来。"

郭本："因为今天我要把这些都花了，花完我就自首去。"

金巧："哎哟，看不出来啊叔叔，我还以为你是正经人呢，你犯什么事啦？"

郭本："我杀了人。我把我老婆杀了。"

金巧看到郭本表情坚定，收起了开玩笑的腔调。

郭本本来想冷静地讲完全部故事，可是讲到唐莹昨晚道歉的时候，还是哭了。金巧也哭了。

金巧："你要不跑吧，别自首了。你老婆活该。"

郭本："我也想过跑，可是就刚才坐在银行里，我想明白了。我连这点儿钱该怎么花都不知道，我以后跑哪儿去，该干吗。叫我每天想这些事，不如死了痛快。"

郭本停停又说了一句。

"以前也没空想我每天该干吗，都是帮唐莹想。"

金巧："那你就自杀，你别自首啊，监狱里啥样你不知道，你听我的，你这样的人肯定不行。"

郭本觉得是应该听她的。

金巧："不行，你还是跑吧，跑跑试试，你这么多钱。"

郭本："那么多人，你刚刚为啥找我要号？"

金巧："因为你一看就像好人呀。所以你得跑，你听我的，吃完就跑！"

郭本："算了，我们先喝点酒吧，等会儿再说。"

郭本做什么事都有几套方案，就是这回涉及生死他想不出来了，挑方案的人也没了。

要了最贵的酒，喝到第二瓶郭本觉得，几个小时之内花完这些钱也不是不可能。喝着喝着金巧又说起来，去哪个哪个酒店开个房就得两万，她陪郭本睡觉可以免费，说完两人大笑。郭本晃晃悠悠去上厕所，服务员处变不惊，领他出了包间，他应该不是第一个在大中午喝成这样的人。

等郭本回来，金巧已经走了。包也拎走了。

10

周凯点第二根烟的时候，郭本醉醺醺走过来。

郭本："警察？"

周凯："啥事。"

郭本："我想自首，我把我老婆杀了。"

周凯点着烟抽了一口，摊主看着郭本和周凯，不知道该摆什么表情。周凯看看郭本。

周凯："沿着这条路走过俩红绿灯右拐是派出所，有事去那儿说。"

郭本："你不是警察吗？"

周凯："我不干了。"

说完周凯上了摩托车，走了。

郭本酒劲没退，坐到了地上。

摊主："哎哎哎，大哥你别坐这儿呀，我还做生意呢。"

郭本："老板给瓶水。"

摊主："两块。"

郭本："身上没钱了。"

摊主："没钱买什么水？杀人犯牛逼啊？赶紧自首去吧，一会儿人派出所也下班了。"

郭本站起来，往前走，过了红绿灯，想不起来派出所在哪儿了。

世上好山水

山水画这东西，跟山水比，本来就全是假的，
你能得着什么才是真的。

　　金库门关了，上锁，所有人退出去，只留赵节焕。
四周是嵌在墙里的保险箱，当中一个长条桌子，所用金
属材料仿佛永远不会生锈。

　　赵节焕摘了一直戴着的墨镜，用他鉴定过上万幅字
画的眼睛，打量起面前这幅起拍价就是四千两百万，传
为倪瓒所作的山水画。

　　赵节焕出身世家，家里人爱画，藏画，往来高朋都
是风雅之人。还不会用筷子赵节焕就拿了毛笔，是十岁
那年第一次看倪瓒的画，临倪瓒的画，才爱上了毛笔。

　　那是父亲的好朋友，得了幅《秋林远山图》，请大
家去鉴赏。赵节焕跟父亲在那住了三天，看了三天，临

了三天。懂了山水的美，是以往看真山水，都没看到过的美。

后来打起了仗，家里字画丢的丢，卖的卖，人也一样。赵节焕先跑到香港，又托法国留学时认识的老师，跑到美国。一路辛酸不愿再提，以前的事，像上辈子。

赵节焕画得好，从小见得多，仿个谁都是乱真，也因此，成为一流的鉴定家，跟多家拍卖行、博物馆都有合作。他自己也慢慢开始收藏，很多小时候就见过的书画，兜兜转转，又回到了手里。有夸张的说法，最好的山水画，其实都在赵节焕家。

今年七十二岁了，已经很少出山做鉴定，只是偶尔帮帮老朋友林中云。一年也就出来两三次，每次都要推脱几番，今天听说是《秋林远山图》现世，他才一下都没犹豫，就由车接了，开到曼哈顿，进拍卖行大楼，下地下三层，奔金库，关了门，摘下他总也不摘的墨镜。

《秋林远山图》在台北故宫有一幅，可十几年前赵节焕就说过，那绝对是假的。这回这幅，来的路上林中云介绍，是台湾新死了大官，儿女从藏品里翻出来，辗转交到他手里，想尽快卖掉。林中云做中国字画的生意也二十多年了，这中文名就是赵节焕给他起的。林中云后来中文好了，觉得赵先生有点敷衍。

赵节焕问了大官的名字，就基本确定是真迹。做鉴定几十年，当年这幅画从那位叔叔手里，怎么丢的，怎么传的，他都能猜出个大概。

此刻金库里只有他自己，从桌上摸了手套，小心拿住画轴，一点点展开，心里激动，那时候父亲根本不让他碰这画。

倪瓒的画，笔画少，构图简，永远就是一个坡，两棵树，一摊水，远处有山。可是远观不显小气，近观细味无穷。父亲当年告诉他，这《秋林远山图》是倪瓒晚年所作，他晚年的画，没有人迹，只有自然，再细品，连自然都没有，只有美。那种美反而又全是由倪瓒——这个人，心中感悟到，笔墨画出来。倪瓒的画干净至极，只感觉每一笔都是对的，可他不这么画，你又不知道什么才是对的。父亲教赵节焕，关键全在笔墨里，画的是什么，从来都不大重要。

所以赵节焕鉴画最准，再狠的伪作，也学不了原作的笔墨，就像学不来指纹。

林中云给了充足时间让他鉴画，赵节焕也用不着了，展开了一半，就把画卷回去了。

金库里什么通信设备都用不了，有专门的铃，门上的锁响了一阵，林中云才进来，没带别人。

林中云："赵先生，是真迹吗？"

认识了二十多年，林中云一直管赵节焕叫赵先生，赵节焕也只能叫他林先生。

赵节焕："林先生，水平不低，应是明人仿的，说不好可能是沈周的作品，也值大价钱。"

赵节焕已经戴回了墨镜，没看林中云费解的脸。

林中云："赵先生，您不再看看了？"

赵节焕："不用了，倪云林的画，最难仿，一眼就看得出。"

林中云："赵先生，你我合作，有二十年了吧？"

赵节焕："不止吧。"

林中云："近十年，我劳烦您出山鉴定的字画，有一幅假的吗？"

赵节焕："没有。"

林中云还以为这番话永远不用出口，没想到还是要说了。

林中云："赵先生，恕晚辈冒昧，请先生讲讲，我今天的上衣，是什么颜色。"

赵节焕一动不动。

林中云叹气："实在抱歉，赵先生，我还以为我们早有默契了。您的健康状况，我早就知道了，放心，一直在替您保密。这十年，我要的不是您鉴定，要的就是您来了，说句是真的。"

隔着墨镜，看不到赵节焕的眼神。摘了也看不到，他眼盲少说也有十年了。

林中云："只要赵节焕说了是真的，那就是真的。"

赵节焕："《秋林远山图》我第一次见是十岁，它开了我的眼，如今我是瞎了，但恩情不敢忘。我也知道你知道，只是这一幅，不能帮你做假。"

林中云："可是赵先生，以您的状况，您凭什么确定它是假的呢？"

赵节焕："早知道你不会信，你叫外面的人把我箱子拿来。"

拍卖行金库是重地中的重地，就算是赵节焕来，也要搜身检查，不能带进任何东西。

林中云按铃，又是一阵响，一个银色大箱子推进来。

听人出去了，赵节焕才说："打开。"

林中云看到一卷画。

赵节焕："你看看这幅画。"

林中云戴了手套，慢慢展开，也是一幅《秋林远山图》。

赵节焕："我从十岁就开始临，到我瞎了，以前的技巧全用不上，又临了几年，才算体会到一点倪云林的笔意。可能是瞎了，才终于干净了。林先生，你看看我这幅，比你桌上的那幅，如何？"

两幅画初看一模一样，可林中云也是山水画专家，越看越觉得，是赵节焕这幅笔墨味道更好，更逸，更倪瓒。

赵节焕："做过旧了，你再加工加工，起拍价还能再涨一点。"

林中云："我还是不明白，确实是赵先生这幅更好，可您又看不见，怎么知道我这幅……"

赵节焕："这你就别管了，酬金也不用给我，以后也不必再合作，省得眼盲的事露了，对你我都不好。你把这幅假画给我，算是咱们一场交情。"

林中云一下又说不出话，脑子飞转。

赵节焕笑了："你见我要拿走，又担心是真的？"

林中云："是啊。"

林中云说着，又开始比对两幅画，怎么看，确实都是赵节焕那幅好。

赵节焕："当年我爸在他朋友家看过这幅《秋林远山图》，就告诉我，是假的。若是真的，我怎么可能比倪云林画得好？"

林中云脑子转不过来，赵节焕接着说。

赵节焕："我爸当年没告诉他那朋友，我问为什么不说，我爸说，世道都要乱了，这当口就别扫人兴了，再说山水画这东西，跟山水比，本来就全是假的，你能得着什么才是真的。"

林中云："赵先生，你我都做这行这么久了，这种虚话……"

赵节焕："对，这就是哄小孩子的话，可这幅假画真开了我的眼，我是临了三天，回到家里都茶饭不思，胸中有东西出不来，我爸看我入了迷，才不得已告诉我它是假的。那你说，在那之前，它对我来说，是不是就是真的？如今我瞎了，再不可能看出它的假，那在这之后，它是不是也是真的？"

林中云一时不知道赵节焕的话是真是假。

赵节焕："倪云林就算当时不画出来，秋林远山在他心中已经成真。或者说，就连秋林远山都没有的时候，他心中已有真美。我当年从这假画中得到的，也是真美。如今真画不管在哪儿，我自信它都在我心中。但到底境界不够，还是得拿一幅假的，要一个念想。"

林中云："赵先生，你的道理我不大懂，我只知道，要是不送你，恐怕明天就能看到你眼盲的新闻了，是不是？"

赵节焕："多谢林先生成全。"

赵节焕接过那卷伪作，手握得很紧，林中云还是吃不准他说的是真是假，还是说，真假真的不重要。

林中云想，或许传说是真的，世上好山水，都在赵节焕家。

机长广播

毕竟这世上就从来没有属于他的目的地。

机长广播：

"各位尊敬的旅客，欢迎乘坐天海联盟中国大华航空公司的CU2234次航班，我是本次航班的机长。我们的飞行距离大约为两千九百四十九公里，飞行时间五小时，航路天气状况良好，我和全体机组成员会把各位乘客安全送达目的地。在那之前，有个故事想讲给大家听。

"从前，有架飞机在飞越太平洋上空时，忽然与地面失去联系，雷达系统失灵，不过这远不是问题的关键，机舱内出了谁都无法解释的事：有海水在机舱内蔓延，找不到来源。

"那是一班夜航飞机，就像我们这班一样，机舱内的灯也都坏了，所以乘客很容易就发现了更可怕的情况：水里有鱼游动。发着蓝光，忽明忽暗，鳞片很大，一条鱼照亮另一条鱼时，可以看到鱼脸长得像羊脸，眼神呆滞如被清蒸过。有胆大的乘客伸手去捉，立刻失去意识，然后就倾诉起自己是多么不想去这趟航班的目的地。所有被鱼碰到后的人都会这样说，理由有的令人心碎，有的让人恶心。

　　"人们跳上座椅，水就漫过座椅。有人躲进卫生间，可从马桶里涌出更多鱼，那人出来时长得都像鱼了。还有人躲进了行李架，可还是被鱼碰到，就诉说起一件行李，是多么不想被带到另一个地方。

　　"那架飞机的机长在保护一个孩子时，也被碰到了。他立马说道，他不光不想去本次目的地，他其实不想去任何目的地。机长回到驾驶舱，开始向太平洋俯冲，物理定律令机舱内的海水涌向尾部，鱼聚集起来，蓝光照亮整个机舱，从前向后看去，都是恐惧和悔恨的剪影。

　　"音乐推到了最紧张的节奏！这时！年轻的副机长从昏厥中醒来，经过一番精彩的搏斗，用餐叉杀死了机长，并教会乘客们他刚刚发现的秘密：使用呕吐袋把鱼都包起来，光就会暗去。机舱回归平静，海水退潮，每个人都平安抵达了目的地，与接机的人拥抱，那些吐露过的秘密跟鱼一起装进了呕吐袋，放在座椅靠背的口袋里，自行消失了。机上发生的事没人提起，也没有一个人问机长去了哪儿，毕竟这世上就从来没有属于他的目的地。结局。

"怎么样？怎么没有掌声？这个故事大家喜欢吗？听出其中的深意了吗？还有隐喻？嗯？不喜欢吗？

"那我再讲一个好了。

"从前，有架飞机在飞越太平洋上空时，它的机长决定把自己的梦想说出来。他的梦想从来就不是做飞行员，而是做一名导演。他从编剧干起，偷偷写了很多剧本，全部无人理睬，包括他最满意的《副机长大战空中夜光鱼与人的隐秘》。在他第三次投稿后，电影公司的工作人员——我怀疑就是一个实习生——终于失去了礼貌，回信说，你这种烂故事没有人会喜欢的。

"这位机长不服气，他要把这个故事讲给此刻，太平洋上空的全体乘客，看看有没有人喜欢，如果真没人喜欢，那他活着也就没有任何意义了，不如就此俯冲进入太平洋。

"现在，如果你喜欢刚才的故事，请按亮服务铃好吗？"

……

"看来大家都很喜欢呀。

"那按照机长工作手册，下面我需要用英文再来广播一遍了。

"今天是我第一天做机长，很多事还不熟悉。我是凭借做副机长时一次英勇表现破格晋升的，具体事件不便公开，那是我们航空公司的秘密。你看，故事和现实中都充满着秘密，你们感觉到界限的模糊了吗？不能再多说了，再多说，故事就没有韵味了，而现实跌入故事，会比失去韵味更可怕。哎呀，我怎么又戳破了一些，不说了。最后请教一下，夜光鱼用英文该怎么说？嗯？没人愿意告诉我吗？机舱怎么这么安静？不管了，如果你身边有外国旅客，等下讲到夜光鱼部分时，请帮我把他面前的呕吐袋给他，感谢各位乘客的配合。

"Dear passengers……"

我

在雪地犹豫

时间的线性是温柔的骗局。

想回家，回雪地。

我实在不明白，眼前这个记者，来见我之前，知不知道我是干吗的。

"您有没有想过今天的成功？"

我也不明白，她，媒体，这个世界，对成功的定义究竟是什么，今天，我究竟取得了什么东西，是值得一问的。好奇心被设计出来，为什么要频繁用屁话来满足。

"从来没有，我一直以来都是尽力做好自己的工作，尽力去让观众朋友们开心，特别感激大家的喜爱。"

昨晚我在雪地里又发现了新东西，那是一种文字，也许。刻在一棵大树上，树有足球中场那个圆两倍粗。骑着自行车绕了很久，没看懂。在雪地发现看不懂的东西已经习惯了，它存在的本身其实我就从来没弄懂，只是不去想。

"像您这样的喜剧工作者，私底下是不是其实挺闷，甚至忧郁的？"

她穿了皮裤，我不懂人为什么会穿皮裤，黑色，绷在腿上那种，很可能还不是真皮。我想告诉所有穿皮裤的人，世界上从来不存在适合穿这种裤子的天气，也不存在穿这种裤子的场合，更不存在看到这种裤子会觉得"哇好美的裤子哦"的人。这个世界上只存在一个很不负责的服装设计师，有一天喝多了，跟他的朋友说："哎？你说我们昨天做失败了的那种裤子，要是硬卖的话，会不会也有人愿意穿呢？""不会吧，怎么会有这么傻的人？""试试呗，上次那种头上一堆毛的拖鞋都卖出去了。"

"我们做喜剧，就是把快乐带给大家，悲伤留给自己。"

这个问题，有时我就会这样回答。问这种问题的人很难让人尊重，还穿着皮裤，还跟我开不好笑的玩笑——都是配套的。我只想尽快回到雪地。

我的经纪人走过来递给我一瓶水，顺便提醒记者时间差不多了。我还在看她的皮裤，为什么不直接把腿涂黑算了，还不热，关键是，那样还能保证肯定是真皮。"呀，你穿的这是……""这是我新买的皮裤，我只是没穿，但又达到了穿的效果，又享受了消费，又不热，摸摸，还是真皮的。怎么样，比皇帝的新衣高级，他那个只能教会小朋友说出真话，我这个能教会小朋友活出真我。你别不信，我带着皮裤的发票。"

这个段子要想上台讲，还要改很多次。

"您平时怎么积累创作素材？"

"就是观察，想，主要是靠运气。"

"能分享一个您最近想到的段子吗？"

"那太难啦，还很不成熟，最近都在上节目，采访，一直没时间写。"

"会担心这种生活状态影响创作吗？"

我更担心创作影响我的生活状态。生活状态，生活，成为一种连续可察，甚至可控的状态，穿成了串儿，可以拿在手里盘，要比创作难很多。

　　"还好还好，创作也是生活的一部分嘛，丰富一点总归是好的。"

　　我第一次见到雪地，是我还没想清楚这些问题的时候，那天我已经躺在了床上，可膝盖太痛了，白天玩儿别人的平衡车摔倒了，想起来找点药，要找药就先要找灯，要找灯就先要站起来，这思考过程是我后来猜测的，我什么都不记得了，清醒过来时，已经趴在了雪地里。

　　不冷，我什么都没穿，往前看就是雪地，没边，有山，就是那个很远，之后会游过鲸鱼影子的山，有巨树，有瀑布再组成河，天上太阳很大采用月亮形状。不管什么时候进去，它都在那儿，位置不动，只有圆缺变化。

　　我回头，自己是从一个台阶下来的，台阶上是我卧室衣柜的门，被我撞开了，还看得到床，床头堆的书，这才想起来，明明有台灯，怎么没开。我女朋友还睡在那儿，没醒。

没什么犹豫，这是我应得的，日常生活让我无措了那么久，应该就是在等这一刻。回手把衣柜门关上，朝雪地里走，后来发现雪地太大，弄了辆自行车进去。我怀疑现代人不会被任何奇迹打动。

"那您自己，下一步有什么创作计划吗？个人专场？"

"在计划，再打磨得更成熟，时机成熟，一定会带给大家。"

记者合上本子，握握手，问我能不能加个微信，我说你让我经纪人推给你，赶紧走了。

除了自行车，我还往雪地里放了很多吃的喝的。我还想过把 Wifi、电视和沙发拖进来，因为显而易见的讽刺放弃了。现代人配不上任何奇迹。

写到这里想到，奇迹总会突然来，可能这行字，对你来说，也是一扇通往雪地的门，也许你可以试试。拿手戳戳会不会开。

雪地多奇景，有不少雪房子，我在里面发现过很多残章，关于音乐、哲学、物理，可是这里常常起风，什么句子都给吹乱了，看不懂，只能觉得，这里曾经有过挺狠的文明。

房子盖得也美，有很重的雕琢痕迹，又看不出起手在哪儿，像地里长的。有的屋子里有音乐，风化自然形成。

骑车往深处走，还没到过头，山总是远，要跟它产生关系，得弄辆摩托进来。我做过该做的事情，打滚，喊，堆雪人。堆雪人那次挺危险，雪人越长越大，白白的脸上凭空有了眼神，赶紧推倒了。

"今天采访察觉到你不开心。"

还是通过了那个记者的微信，经纪人打了招呼，说她的老板，跟我们的哪个客户，有什么样的关系，不记得了。反正"李哥你能加就加一下，以后可能还合作，别弄得咱们那啥似的"。

"没有不开心啊，可能是累了，今天谢谢你，很开心，希望你写稿顺利。"

"把你照得有点丑，你本人还是能看的哈哈。"

发来了跟我的自拍，开了这句玩笑。

"哈哈哈。"

我到家就进了衣柜，找了个雪屋躺下，这屋我常来，有海风，海声，闭上眼，还能感到海水油油环抱上来，睁眼就散。

　　"又去啦！"

　　进来前我女朋友例行问我。

　　她看不见，进不去，也不很在意，她可能把这当作我惯有的癔症。

　　"很美，我试过给你拍照片，相机进去就用不了了。"

　　"哈哈哈，真是的，这也太像你编的那些故事了，对嘛，这种故事里，相机肯定是用不了的。"

　　"真的，我还试过把贵贵抱进去，它死活不去。"

　　"它多傻。"

　　贵贵是我家的猫。

　　"那怎么办呢，这雪地。"

　　"多爽啊，你就进去玩儿呗，记得回来就行。"

　　"我肯定回来啊，我这不都回来了。"

　　"我知道，好好玩儿，给我讲，我就很快乐了。"

"我不想只有我一个人高兴。"

"好啦，我也高兴，我不用去雪地就高兴，我这个人就比较高兴。"

这就是我女朋友，就是这样一个人，我爱她。我爱你如果你正读到这里，想再试试打开这门的话。

我抓起把雪，在手心化开，摊开，一堆玻璃碴。近来见到好多人，也是这样，偷偷崩溃，慢慢疯了，从此过上幸福生活。

一向不信赖时间，在我和世界这两个物理系统交换信息的过程中，事情是自然到这儿的，人格转变只能是因为热力学和香农关于比特的定义，我不承认是因为快三十了。

反正，就是做了很多以前不会做、没想过要做的事情，养猫，美甲，忘掉死去的狗，确立一段稳定的关系，上台表演，接受采访，加皮裤的微信。

从雪地出来又看到了凯西的微信，是晚上十点多了。

"我知道你今天在敷衍我，我也不会向你道歉！"

没想到吧，穿皮裤的人，自尊心反而特别强，怎么会这样呢。你都穿皮裤了，我还以为这世上没有什么能让你觉得受伤的事儿了。"嘿！你头上有屎。""是吗？哎你说我再配个紧身皮衣是不是更好看呀？"这个配合表演应该能响。

后面还发了好多。

"我是非常非常临时，昨天晚上，还在跟朋友喝酒，收到的任务，今天必须采访你，我根本就不认识你，对不起，但我真的没听说过你，我是写社会新闻的，我从来不看综艺节目，但那个记者辞职了突然，你的时间又很难约，老板就非要让我来！"

我猜她现在也在喝酒，连着发了一堆。

"我今天回来越想越难受，一定要告诉你。

"可是你也很过分。

"算了，我们都过分。

"对不起，喝醉了。

"太丢脸了。"

差不多十一点多，又发来个问号。

"没事，难免，理解，我也不看综艺节目，我也有不对的地方，难为你了。"

皮裤的段子，有点不想再写了。

我把这件事讲给我女朋友听，她把贵贵的眼屎擦干净。

"你别难受，跟你没关系，她的问题。"

"我是不是应该对人好一点。"

"你对人挺好的啊，不都客气答了。"

"也是。"

"你不是打算活得袒露一点吗，下次再这样，你就直说她问题不好，不想回答，我看也行。"

"那样不好吧，给人家留下坏印象，她还是记者。"

"你怎么还拿印象当回事儿了。"

这就是我女朋友。

我从没在雪地见到过任何生物，只见过鱼的影子，天上投在地上，抬头只有云，云是美洲大陆的形状，很精确，我观察过，找到过特立尼达和多巴哥。到处都没有鱼。

声响很多，加上那些残破的文字，我还想过这些能不能给我灵感，组织组织，写出什么带到外面，可雪地的灵感就像雪地实体一样，都没法带出去，给女朋友讲起来，自己都觉得平平无奇。

"我今天在一个雪屋里看到一句话，说，音乐降生时祖母已经过世。"

"哇，好美哦。"

我就知道没那么美。这就是我女朋友。

那天过后，凯西时不时会给我发些东西。我猜是她暴露了一回真情实感，不建立起一些关系，总觉得难堪，这就是平时不够袒露的坏处。

我点开她发给我的小视频，在船上，远处一头鲸赶着人们的欢呼跃出水面。

"你有空也来次冰岛吧，你不是说过想死在鲸鱼肚子里吗？"

"我说的是，比起上天堂，我宁愿死在鲸鱼肚子里，不是说主动想去。而且那是小说里。"

凯西后来看了我写的书，还提起有机会一定要再补上一次采访。

"怎么还怂了，你看那鲸鱼，大不大，美不美？"

"叫我以实玛利。"

"？"

"没事。太远了，看不清。"

"船不能开太近，有危险。"

"是对人有危险，还是对鲸有危险。"

"极光也特别美，你来看看呗，路线很简单。"

"你下一站去哪儿？"

"南美，跑个马拉松，然后再回国。"

"你这么着，天天的，收获了快乐吗？"

问完就没回了。印象中再回就是到了南美，又拍了疯狂的人群，劝我来，劝我收集点创作素材。

"素材"——真以为能置身事外。

她还发了南美游记，我没有点开。

要说雪地教会过我什么，就是我弄清楚了人的影子的由来，是在一片雪花上读到的故事。这里的雪花就是这么怪，你轻轻拿起一片，趁化之前好好看看，看着跟外面的雪花一样像数学显灵，等它化了，躺下闭眼，发现刚才看见了文字，有时候还是画。

说，夸父逐日那年，距今也没多少年，人和现在一样傻，就觉得自己能弄明白，能做得到，能发明移动互联网络，能坚持一夫一妻制，能往太空发送垃圾（到底谁要看勾股定理），还有的觉得自己能追到太阳。后人给他编各种理由，说是为了弄懂农作物生长周期，或是做地理探索，还有看人家有普罗米修斯眼馋的，硬说他是去求火种，都是装糊涂——追太阳还需要什么理由，你不想追吗？

当时就有个明白人，也想追，不找理由，死跟在夸父后头，脚尖儿贴着脚后跟，憋着等夸父要追上太阳那一下，一超，给夸父气半死。夸父傻，让太阳晃的，一直没发现。

傻到不知道喝水，是身后人受不了了，又怕自己去喝就跟丢了，于是白日托梦，用八国语言在心中默念："水，多喝水对身体好。"正巧经过黄河，夸父一口把黄河干了，杯子倒过来一滴都不剩，还说呢，你们随意。

身后人更渴了，尝试唤醒夸父基因中祖辈的记忆，想想火山喷发那天，渴不渴？经过渭水，又把渭水干了。没等身后人想出新主意，夸父自己就渴了，欲望一满足，就得一直满足，往北奔一个大湖，没跑两步，死了。

死因不明，追日无望，这是身后人观察到的两件事。他接着想，夸父是不是喝死的，要是自己也喝了，是不是就也死了，这种想喝水的念头究竟有多危险，是否会一直存在下去，还有没有类似的念头埋伏在前面呢。于是定在夸父身边不动了，因为没喝到水，身体发黑，泄气，往下瘪，最后虚了好像不存在，脚尖还是贴着夸父脚跟。从此，人就有了影子。

看完，雪花在黑暗中又化一次，这回才算真没了。我注意了一下自己的影子，回想我有没有什么在追的事物，别把我俩都害死。

"我真是没明白自己为什么从事了今天的工作，也没准儿哪天就不做了。"

凯西觉得跟我熟了，开始在微信中问我些她能挽回颜面的问题。

"你是在说，你今天拥有的这些，你可以都不要？"

"我究竟拥有啥呀？"

"你这样就是诡辩，还有撒娇了。"

"我今天拥有这些，当初也不是我想要就能要的，对不对？那过后没了，也正常对不对？"

"那你呢，你在这整个过程中究竟扮演什么角色。"

"场所吧，我是事情发生的场所。"

我在雪地中诚实面对自己也只有自己，我这回躺在了一个有鸟叫的屋子里，鱼的影子频频闪过窗沿，我的声音追鸟的节奏，我发问我作答，我真是场所吗，我真是，我真这么想吗，我真这么想，我在这儿得到的不比外面更多失去的不比外面更少吗，我没什么可得到与失去的，我待人好工作认真努力拥有幸福婚姻这些都不与我的真诚矛盾吗，这些正是我的真诚，我这样面对所有问题不正是狡猾吗我是狡猾吗，也许是的也许我是狡猾，我为此困扰吗我将如此下去多久呢，我不为此困扰不论多久。

鱼的影子扩大成鲸的影子，终于，游过窗外那座我还没到过的雪山，动势极慢，重量压迫松树尖，划了几十个口子，海水顺着各个树梢从影子里流了下来，浪花带来旧消息，雪使奇迹冷静，我依然发问我依然作答，我热爱我作为场所身上发生的事吗或憎恨，热爱与憎恨是难有的情绪我多是接受，我可曾主动做过什么呢，维持场所稳定，我真的做好告别的准备了吗随时，随时就像当初做好了登场的准备，我惧怕什么，我惧怕骗过了自己，我是否虚伪，我不虚伪，我会为今天面对鲸流的海说的话后悔吗，我不后悔不论面对什么我愿意再说一次只怕内容有变，我终于得到了坚实的心吗今天，今天我终于得到了坚实的心直至永远，我终于相信时间了吗谈到今天和永远，对不起，我始终不相信时间。

"始终"不该是一个词，该是一个字，时间的线性是温柔的骗局。

唯有我一人逃脱回来报信与你，叫我以实玛利。

这是很不错的采访，没告诉凯西。比起几行之前那个，这能作为合格的门吗？看到你的雪地了吗？再戳戳。

凯西可能真的觉得跟我熟了，我再见她，她居然认为那是一个惊喜。几个朋友约着在一个四合院喝茶，我到北京已经九点多了，到了他们已经喝了不少酒，看到我照例寒暄，凯西也在，才反应过来，桌上哪个哪个，是她的老板，是经纪人提醒我不要尴尬了的那个人。

　　喝了好几杯朋友自酿的梅酒，才搭上话。

　　"关于书法，我看过本书，回头送给你，你什么都不用再看。"

　　"那太感谢了，要想理解，我可能还是要自己练练。"

　　"你的剧本推得动吗还？"

　　凯西起来给大家倒水，都拿手指在桌上磕了。

　　"时代——我知道你们又要笑话我聊时代——真是变了，电影这个东西过时得厉害。"

　　屋主又拿出种新茶。

　　"尝尝这个，我老公自己种的。"

　　"老张又走了？"

　　"每年这会儿都在采茶。"

"还没给小李介绍，老张以前是做广告的，后来做茶了。"

"茶疯子！"

生活眼睁睁散成了段儿，一串珠子拽断崩散，地上一蹦，又蹦，最后就那样了，灰溜溜圆滚滚，有的捡了，有的没捡。

"你还戒酒呢？"

轮到我蹦了。

"戒呢，我给你们说个事，看你们信不信。"

一人转述（很难称是一位朋友）：李总，你没来凯西一直念叨你，说上次采访你没做好，后来补看你的作品，说都要爱上你了哈哈哈哈。

凯西看我要说事，身形都充分表现出了在听，就差拿根吸管，把话嘬进自己身体里。我放弃判断这一切是真是假，价值何在。

"看过《纳尼亚传奇》吧都，我家衣柜，就那样，大差不差，推开了，有个雪地，没边没沿，一万人进去也跟没有一样。董哥，你还记得我咨询过你雪地车的事儿不，就是买了去里面骑。"

"美吗里面？"

"那能不美吗？平常雪地美不美？"

"就是雪？"

"好多呢，不知是长出来的还是后盖的屋子，不知是长出来还是谁写的书，吹散了，能看懂几句，还记得有一句说，音乐生下来的时候，父亲已经去世了。也有写物理的，记不得了。雪花上记有史料，《山海经》补遗，讲夸父身后那人后来跟我们全体人的关系。鲸鱼从天上过，影子压得松树叫唤，流出海水。"

"有没有写怎么拍电影票房才能破百亿的？"

安森哥的玩笑来得晚了点，大家赶紧跟上笑了。

安森哥这人挺让我难受的，认识他是我最想逃回雪地的一回。是早有耳闻的前辈，一见面，无来由地讨好，弄得我只能不停自贬，还是跟不上他抬高的速度，你们碰上过这种硬客气、客气过头的情况吗？"哎呀哎呀，李总一来，显得我们都白活，淘汰了，得跟您学习。""别别别我才是还什么都不懂。""别这么说，代表着年轻人的力量啊！我们以后都得靠您，我们都拍在沙滩上了。"这个时候，真的好想说一句："对，你还在用拍在沙滩上这种从发明起就过时了的说法，说明你活该被拍。"——这个要想到台上讲，需要改得再口语一些，最后一句节奏不好。

雪地也会下雪，在太阳半满的时候。看到下雪，就会明白雪其实一直在下，只是因为折射的关系，这种光照你才得得到。由于雪地安静，我能听到自己踩雪的回声，也想过是不是山那边有个人在配合我，或者是其他什么有意识的东西，比如某些汉字，具备了从前没有的词义，感到困惑，不肯过来，但发出响动。

那粗树上的文字我后来看明白了，是树还在种子时，有人刻在里面的，费劲拼了三天，是一句话，"仰赖经验浇灌"。

散局我到酒店，安森哥发来微信。

"你说那个，我家也有类似的，我家是床底下有片沙漠。"

还没顾上回，凯西又发来微信。

"我现在相信你了。"

"采访做得挺好的。"

"我现在相信你的坦诚了，雪地的事，你居然就说出来了，你比我们坦诚。"

"相信就好。"

"我家也有，是冰箱，打开门，直通月球，很有意思。"

我不困了。

"你家在哪儿，我过来。"

"我不是这个意思。"

"我也不是，我想看看。"

"我爸妈都睡了。"

"看一眼。"

"那你答应我，给我一天时间再做次采访，还有拍照。"

"地址。"

没想明白还跟父母住在一起，她身上的奋斗感是哪来的，那种被揍过的感觉。跟父母关系肯定不好。

我很安静进了门，她没换睡衣，还是晚上那一身，但洗过了澡，可还是有妆。男性朋友们，你是几岁开始，能意识到女孩儿有没有化妆的，又是几岁能看一眼就感觉到她洗没洗澡的，这俩能力比喉结更能体现性成熟，到了一个时间点，忽然就明白了，明白得太晚肯定不是好事，但太早也不对，太早的话，你明白这个的同时，就会明白自己应该是gay——这肯定没法讲，我都不明白写出来干啥。

　　"你看吧。"

　　凯西拉开冰箱门，我看到里面就是些牛奶水果，没有剩菜，她妈妈是个会享福的人。

　　"没看到。"

　　凯西声音很低。

　　"你看那儿，我帮你拉近一些，阿姆斯特朗的脚印。"

　　是那种双开门的冰箱，我看到凯西伸手进去拽了拽空气，还是只能看到冰箱昏黄的灯。

　　"这个，好像别人就是看不到，我女朋友就看不到我的雪地。"

"那有可能，反正我只给你一个人看过。"

凯西关上冰箱门，屋里暗下来。冰箱门吸住的声音是个不错的停顿。我好像还能听到她爸或者她妈打呼噜，在远方。

我开始怀疑这女的会把这些都写进报道，说我神经出了问题，而她通过巧妙手段，取得了关键证据，后面还要再分析一番做喜剧工作对人精神的损害。回忆起来，安森哥刚刚是不是一直挨着她坐，还说了很多别人听不到的话，不知他是不是联合作者。我现在看起来肯定特别傻。

我把门拽开，于是就有了光，我诱惑自己伸手摘了个苹果，我本身就属蛇。大吃一口，咬苹果的声音是停顿后不错的转折。

"我也是开玩笑呢，就是一个人待着无聊，有点喝多了，下次见。"

"真看不到吗？我进去你就明白了，会失重，你看呀。"

我没看，我开了门，把自己逐出这里。有些人不配得到快乐。

　　我又想把皮裤的段子写下去了。而且穿皮裤的女的总有种……这实在是对智力的一种浪费，这些事。没什么值得讲的。我吃完了苹果，心情没有变好，智力也没有提高，为了让自己开心起来，此处，我将设置这个故事中最后一个通往雪地或者月球的入口，门，你最后再试一次。隆重一点，"门"。戳戳看。

　　第二天一早飞机回了家，我没敢问我女朋友，她是不是也有自己的"雪地"，我怕答案会让我无法再说出"这就是我女朋友"。

　　我进了雪地，使劲骑车，脱光了衣服，经过那个雪屋想起之前的对答头一回起了怀疑。

　　这回感觉没骑多久，就到了那座雪山脚下，原来没有那么远。或者雪地帮我缩短了路，我在这儿试着向下挖过，永远是雪，雪用了特殊的结构，踩上去只到鞋底一半，可用手就能一直扎进去。我常在这里游泳，撞到过一块冰，上面有德谟克利特的签名。

就在这里有什么不好，至少不比外面更差，我坐在山脚下动了心思，不再出去，不再出去是不是也可以。

我向雪山上爬，山的背面有个挺大的洞，我进去，墙上写着一行大字。

"我也许会回来。"

洞深处有火光，墙上投着世界的影子，我看到老张在采茶，也看到了恐龙还在的时候，某种不祥的花被尾巴打落。

那是我的笔迹，我摸上去，回忆全冒头，当初，我如何盖房子，如何写下答案，如何讨论祖父过世，如何让风起来吹掉痕迹。

我是如何来自这片雪地，又如何离开。

这回真记不起时间存在过了，只想起我在无数现场。

只想起来用手指就能在这墙上写字。

"我的犹豫是宇宙的犹豫。"

墙上渗出海水，鲸始终未能将我吞入腹中。

ONE 文艺生活　　「ONE·一个」App

官方微信公众号　　扫一扫即刻下载

ONE book　　果麦
　　　　　　　　GUOMAI

监　　制：韩　寒

出版统筹：朱华怡　陈　曦

编　　辑：朱双南

营销推广：李慧颖

特约印制：梁拥军

版式设计：张　季

封面设计：雾　室

官方微博：@一个App工作室　@一个图书　@亭林镇工作室　@果麦文化

图书在版编目（CIP）数据

冷场 / 李诞著 . -- 成都：四川文艺出版社，
2018.10（2018.12重印）
　ISBN 978-7-5411-5146-0

Ⅰ.①冷… Ⅱ.①李… Ⅲ.①短篇小说—小说集—中
国—当代Ⅳ.① I247.7

中国版本图书馆 CIP 数据核字 (2018) 第 206316 号

LENG CHANG
冷场
李诞　著

责任编辑	彭　炜
责任校对	汪　平
装帧设计	雾　室
出版发行	四川文艺出版社（成都市槐树街2号）
网　　址	www.scwys.com
电　　话	028-86259287（发行部）　028-86259303（编辑部）
传　　真	028-86259306
邮购地址	成都市槐树街2号四川文艺出版社邮购部　610031
印　　刷	河北鹏润印刷有限公司
成品尺寸	130mm×184mm　1/32
印　　张	10
字　　数	120千
版　　次	2018年11月第一版
印　　次	2018年12月第五次印刷
书　　号	ISBN 978-7-5411-5146-0
定　　价	45.00元